HRIFTENREIHE DER HOCHSCHULE FÜR MUSIK
MÜNCHEN

herausgegeben von Gernot Gruber,
Robert Münster, Erich Valentin und
Günther Weiß

1 9

OSTEUROPA-STUDIEN

herausgegeben im Auftrag der
Südosteuropa-Gesellschaft
von Walter Althammer

40

Cornelius Eberhardt/Günther Weiß (Hrsg.)
Mitarbeit: Klaus Mohr

Volks- und Kunstmusik in Südosteuropa

1989
GUSTAV BOSSE VERLAG REGENSBURG

Volks- un

in Südost

SC

IN

Ban

SÜI

Band

Cornelius Eberhardt/Günther Weiß (Hrsg.)
Mitarbeit: Klaus Mohr

Volks- und Kunstmusik in Südosteuropa

1989
GUSTAV BOSSE VERLAG REGENSBURG

Das Umschlagbild zeigt die Seikilos-Stele aus Aidin bei Tralles (Kleinasien). Veröffentlichung mit freundlicher Genehmigung des National Museum of Denmark, Dept. of Near Eastern and Classical Antiquities, Kopenhagen (Inventar-Nr. 14897). Von Hermann Abert stammt folgende Übersetzung des griechischen Textes der Seikilos-Stele (zit. in: Neues Handbuch der Musikwissenschaft, hrsg. von Carl Dahlhaus, Band 1, Laaber 1989, S. 198):

> „Lacht das Licht, Phaidus, dir, /
> halte Kummer dir fern und Gram, /
> denn nur zu kurz ist des Lebens Frist, /
> ihren Tribut heischt gar bald die Zeit."

Printed in Germany – ISBN 3 7649 2381 4
Satz und Druck: Hieronymus Mühlberger GmbH, Gersthofen
Umschlaggestaltung: Fotosatz Fritz Hueber, Neutraubling

Inhaltsverzeichnis

Vorwort

I

Der vorliegende Band enthält die Ergebnisse einer Internationalen Hochschulwoche der Südosteuropa-Gesellschaft, die 1982 in Zusammenarbeit mit der Akademie für Politische Bildung in Tutzing am Starnberger See durchgeführt wurde.

Die Internationalen Hochschulwochen sind unsere wichtigste, alljährliche Veranstaltung, die Gelehrte und Nachwuchswissenschaftler der Bundesrepublik Deutschland und Österreich mit Kollegen aus den südosteuropäischen Ländern regelmäßig zusammenführt. Die dort behandelten Themen erstrecken sich von der Vorgeschichte bis zur modernen Verwaltungsreform, von den Literaturen in Südosteuropa bis zu den in der Wirtschaft praktizierten Eigentumsformen. Unsere Absicht ist es, junge Wissenschaftler anzuregen, Fragen aus der Südosteuropaforschung aufzugreifen und Problemlösungen zu erarbeiten. Dies sollte im Gespräch, im internationalen Gedankenaustausch geschehen. Dafür bietet die Akademie für Politische Bildung in Tutzing eine vorbildlich liberale, völkerverbindende Atmosphäre.

Es ist uns bewußt, daß das hier gewählte musikwissenschaftliche Thema herausragende kulturpolitische Bedeutung besitzt. Ist es doch gerade die Musik, in der sich die ganze Vielfalt des europäischen Südostens deutlich manifestiert. Ich freue mich, daß die Südosteuropa-Gesellschaft mit diesem Buch einer interessierten Öffentlichkeit die auf den neuesten Stand gebrachten Forschungsergebnisse zu diesem Thema vorstellen kann. Ich möchte den Autoren wie auch den Herausgebern für die geleistete Arbeit herzlich danken.

Dr. Walter Althammer
Präsident der Südosteuropa-Gesellschaft

II

Mit dem vorliegenden Band werden die Referate der 23. Internationalen Hochschulwoche der Südosteuropa-Gesellschaft 1982 „Volksmusik und Kunstmusik in Südosteuropa" veröffentlicht. Die Thematik reicht von musikwissenschaftlichen, musikethnologischen und historischen Fragen bis hin zu pädagogischen und aufführungspraktischen Problemstellungen. So lag eine Zusammenarbeit zwischen der Reihe der von der Südosteuropa-Gesellschaft herausgegebenen Jahrbücher und der Schriftenreihe der Hochschule für Musik in München nahe.

Die Referate haben seinerzeit lebhafte Diskussionen und einen intensiven Gedankenaustausch unter den Wissenschaftlern aus vielen europäischen Ländern hervorgerufen. Möge diese Veröffentlichung dazu beitragen, daß dieser anregende Dialog fortgeführt wird und zur Klärung offener Fragen in der Fülle der musikalischen, historischen und soziologischen Phänomene des südosteuropäischen Raumes beiträgt.

Dank schulden die Herausgeber Herrn Klaus Mohr, der nicht nur die Notenbeispiele musterhaft geschrieben, sondern auch die Herausgeberarbeit tatkräftigst unterstützt hat.

Prof. Cornelius Eberhardt
Wissenschaftlicher Leiter der
23. Internationalen Hochschulwoche

Prof. Dr. Günther Weiß
Schriftenreihe der Hochschule
für Musik in München

Hans Maier, Bayerischer Staatsminister für Unterricht und Kultus

Ansprache zur Eröffnung der 23. Internationalen Hochschulwoche der Südosteuropa-Gesellschaft „Volksmusik und Kunstmusik in Südosteuropa" in Tutzing am 4. Oktober 1982

Meine Damen und Herren,
ich freue mich, Sie im Namen der Bayerischen Staatsregierung anläßlich der 23. Internationalen Hochschulwoche der Südosteuropa-Gesellschaft hier in Tutzing begrüßen zu dürfen. Gerade mit dieser Veranstaltung fühlt sich Bayern sehr verbunden, besitzt es doch schon aufgrund seiner geographischen Lage langjährige und enge Bande auf kulturellem, wissenschaftlichem und wirtschaftlichem Gebiet mit allen Ländern Südosteuropas.
Die Volksmusik ist in Bayern lebendiger geblieben als in manchem anderen deutschen Landstrich. In den letzten Jahren hat sie förmlich eine Renaissance erlebt. Damit stieg auch ihr Einfluß auf die moderne Ernste und Unterhaltungsmusik.
Dennoch ist dies nicht vergleichbar mit den Leistungen der südosteuropäischen Komponisten. Wenn ich zum Beispiel an die perfekte Synthese von Volksmusikelementen mit den Prinzipien der klassischen Kompositionskunst in den Werken von Béla Bartók und George Enescu, um nur die beiden geläufigsten zu nennen, denke, muß ich meine volle Bewunderung ausdrücken. Vorbildlich verbinden sie ihre heimatliche Kultur mit der künstlerischen Universalität.
Die tiefere Einheit von Volks- und Kunstmusik spiegelt sich in der Musikkultur. Im Wandel und Werden der Stile kann die Volksmusik manchmal als künstlerische Vorlage eine besondere Wirkung erhalten; so in der Romantik bis zu ihrem späten Ausklingen von heute und in der Bildung der musikalischen nationalen Schulen. Es sind aber auch Begegnungen mit benachbarten und entfernten Kulturen als künstlerische Vorlage möglich. Die Wiener Vorklassik erfreute sich an der schon im Spätbarock vorgeformten Türkenoper, den türkischen Märschen und dem Instrumentenzauber der Janitscharenmusik. Tiefere Wirkung hatten klingende Hochkulturen Asiens auf den französischen Impressionismus ausgeübt. Mit Claude Debussy beginnt ein musikalischer Exotismus, der sich von der folkloristischen Tonmalerei der Spätromantik ablöst. Die neuen Orientierungen, welche nun auch von der vergleichenden Musikwissenschaft geboten wurden, bestimmen vor allem für den Südosten eine merkwürdige Übereinkunft zwischen Kunst und Wissenschaft. Eine, und wahrscheinlich die stärkste Wurzel des Schaffens von zum Beispiel Bartók und Kodály ist in ihrer jahrelangen, gewissenhaften und geduldigen Arbeit als Wissenschaftler und Sammler der Volksmusik ihrer Landschaften zu sehen.
Heute, in der Zeit einer zunehmenden Spezialisierung, kann der Künstler nicht mehr ohne den fachlichen Austausch mit dem Wissenschaftler auskommen. Andererseits benötigt aber auch der Wissenschaftler den Künstler, allein schon, um der Gefahr des rein musealen Archivierens zu entgehen. An dieser Stelle möchte ich der Südosteuropa-Gesellschaft meinen Dank aussprechen, daß sie erneut in vorbildlicher Weise eine internationale Plattform für die Diskussion von Theoretikern und Praktikern geschaffen hat.
Bayern hat schon frühzeitig den Austausch mit dem südosteuropäischen Raum auch auf kulturellem, insbesondere musikalischem Gebiet gepflegt. Trotz ihrer traditio-

nellen Fülle erscheinen diese Beziehungen zwar nicht spektakulär, sind aber aus einem lebendigen Austausch heraus entstanden und damit sehr dauerhaft. So kamen Musiker, Sänger, Komponisten im Zuge der viele Grenzen überschreitenden lebhaften Migration und Emigration des 16. und 17. Jahrhunderts in den süddeutschen Raum und insbesondere auch nach München. Sie lassen sich als Mitglieder der Münchner Hofkapelle nachweisen.

Später zog die Akademie der Tonkunst junge südosteuropäische Komponisten zum Studium an. Als einer von vielen sei Stevan Mokranjac (1856–1914) genannt, der bei Joseph Rheinberger studierte. Mokranjac war einer der ersten, der heimatliche serbische, aber auch mazedonische, bosnische und montenegrische Volkslieder aufzeichnete.

Andererseits unterrichtete der bayerische Komponist Hans Koessler (1853–1926), ebenfalls ein Rheinberger-Schüler, an der Budapester Musikakademie. Er wurde so zum Lehrer bedeutender ungarischer Komponisten wie Bartók, Kodály und Dohnányi.

Mit dem Namen Kodály verbindet sich unweigerlich der Gedanke an den Einfluß, den er auf die Entwicklung des Musikunterrichts in Ungarn ausübte. Auch München ist Heimat eines neuen bedeutsamen Weges der Musikerziehung geworden: Carl Orff und sein Schulwerk prägten hier die Entwicklung. Dieses ist sozusagen ein Gegenstück zu Zoltán Kodálys musikpädagogischem Werk, das, zwar auf anderen Prinzipien aufgebaut, zu einem Kernstück der musischen Erziehung der ungarischen Jugend geworden ist. Kodálys Forderungen nach einem ausgeprägten schulischen Musikunterricht gewinnen heute noch an Aktualität. Es ist die Tendenz unserer Zeit, den musischen Unterricht als vernachlässigenswert anzusehen und allein die berufsspezifische Ausbildungsaufgabe der Schule zu betonen. Meine aufrichtige Überzeugung ist, daß dieser Ausprägung des Zeitgeistes engagiert entgegengewirkt werden muß. Und dabei, so glaube ich, können wir gerade in Bayern auf manchen Erfolg verweisen, auch wenn noch viel zu tun bleibt.

München als musikalisches Zentrum hatte insbesondere seit dem Zweiten Weltkrieg die Elite der südosteuropäischen Orchester, Dirigenten, Instrumentalisten und Sänger zu Gast. Auch den Komponisten hat sich München als Pflegestätte moderner Musik intensiv gewidmet – von den Wegbereitern der Moderne bis hin zur Avantgarde. Mit dieser Veranstaltung nun unternimmt es die Südosteuropa-Gesellschaft, diese vielfältigen Bande auch wissenschaftlich zu untermauern. Ich bin der festen Überzeugung, daß die Südosteuropa-Gesellschaft auch in dieser Wissenschaftsdisziplin so erfolgreich, kontinuierlich und sachorientiert wirken wird, wie es mir von vielen anderen Disziplinen bekannt ist.

Das ist auch der Grund, warum das Bayerische Staatsministerium für Unterricht und Kultus die Arbeit der Südosteuropa-Gesellschaft immer gerne unterstützt hat und sie auch in Zukunft unterstützen wird.

Meine Damen und Herren, ich danke Ihnen für Ihre Aufmerksamkeit und wünsche Ihrer Tagung viel Erfolg.

Cornelius Eberhardt

Zur Problematik des Verhältnisses von Volksmusik und Kunstmusik

Vom Beginn des 19. Jahrhunderts an wandte sich in Deutschland das allgemeine Interesse in zunehmendem Maße dem Volkslied und der Pflege des volksmusikalischen Gutes zu. Niemand hat sich darum mehr verdient gemacht und keiner hat dieses Anliegen zwingender formuliert als Johann Gottfried Herder (1744–1803). Durch ihn erkannte man, daß die mündlich überlieferten Verse und Melodien wahrhaftiger Ausdruck des Denkens und Fühlens der Nationen sind. Von ihm angeregt, wird das Sammeln der Volkslieder fortan mit Hingabe betrieben. Die Einflüsse, die von diesen Sammlungen auf Dichtung und Musik ausgehen, sind gewaltig. Dies gilt nicht nur für den deutschen Sprachraum, sondern auch weiterwirkend für viele andere Länder und bis in unser Jahrhundert hinein.

Diese neue Wertschätzung des Volksliedes wurde auch bald in den Kompositionen großer Meister hörbar. Franz Schubert (1797–1828), später Johannes Brahms (1833–1897) schrieben Lieder, die aus dem Geiste des volkstümlichen Musizierens heraus geboren waren und manchmal selbst zu Volksliedern wurden, also zu Gesängen, die Allgemeingut waren, losgelöst vom Namen ihrer Komponisten. Anton Bruckner (1824–1896), durch Herkommen und Berufsweg dem volkstümlichen Musizieren nahestehend, beschwor die einfache, eingängige, manchmal tänzerische Melodik österreichischer Volksmusik in den Scherzi oder den dazugehörigen Trioteilen seiner monumentalen Symphonien.

Ein Höhe- und Endpunkt dieser Entwicklung scheint Gustav Mahler (1860–1911) zu sein, der sich bei einem bedeutenden Teil seines symphonischen und vokalen Schaffens von der Lyrik der Sammlung „Des Knaben Wunderhorn" inspirieren und leiten ließ.

So wichtig diese volksliedhaften Züge im musikalischen Schaffen der deutsch-österreichischen Romantik des 19. Jahrhunderts sind und wie bedeutend auch diese Werke sein mögen, in denen der Atem der Volksmusik zu spüren ist, so dürfen wir doch nicht übersehen, daß es dabei sehr selten zu einer vollkommenen Integration gekommen ist. Brahms hat gelegentlich volksliedhafte Musik geschrieben, er hat auch Melodien aus Zuccalmaglios Sammlungen übernommen und verarbeitet. Daneben steht aber die Fülle seiner streng symphonisch aus Beethovenschem Geiste gearbeiteten Instrumentalwerke. Nicht umsonst hat Webern darauf hingewiesen, daß die absolute Durchorganisation der Struktur und die Kühnheit seiner Harmonik von ferne, aber doch deutlich auf die Musik der zweiten Wiener Schule hinweisen.

Noch viel auffallender ist dieser Bruch bei dem Komponisten, der sich ganz besonders dem Volkslied verbunden fühlte, bei Gustav Mahler. Wie dort volksliedhafte Einfachheit neben höchstem kompositorischen Raffinement steht und auf welch komplizierte Weise sich diese beiden Welten durchdringen, zeigt, daß der hohe intellektuelle Anspruch etwas ausschließt, was zum Volkslied untrennbar gehört: Einfachheit, spontane Frische, ja Naivität.

Sollte also das volksliedhafte Element in der deutschen und österreichischen Musik des 19. Jahrhunderts nur eine aufgesetzte Mode gewesen sein? Sicher nicht; die Beschäftigung mit dem Volkslied war weit mehr als eine Laune, sie erwuchs aus einem neuen, nationalen Empfinden, einem nationalen Selbstgefühl, das man auch anderen Völkern zugestand. Herder beklagt einmal, daß europäische Kolonisten die Lieder und Gebräuche fremder Völker zerstören, „um ihnen dafür etwas sehr Verstümmeltes oder ein Nichts zu geben".

Wenn auch das Verlangen nach nationaler Selbstbestimmung und Selbständigkeit nicht durchweg in die politische Realität übersetzt werden konnte, so künden doch gerade die literarischen und musikalischen Schöpfungen der Zeit nachdrücklich von einem neuen, auch national empfindenden Lebensgefühl.

Schon Mozart hatte Melodien von Volksliedern in seinen Werken wie „Die Zauberflöte" oder in seinem letzten Klavierkonzert B-Dur KV 595 verwendet. Franjo Zaver Kuhač konnte nachweisen, daß Haydn kroatische Lieder in seiner Symphonie Es-Dur Nr. 103 „mit dem Paukenwirbel" und in anderen Stücken verwertete. Diese volksliedhafte Melodik lag in der Blütezeit der Wiener Klassik in der Luft, jeder bediente sich aus diesem Schatz und konnte sich getrost bedienen, da ja erst die Verarbeitung und Gestaltung den eigentlichen Wert der Musik ausmachte.

Walter Wiora hat in „Europäische Volksmusik und abendländische Tonkunst" diese Zusammenhänge nachgewiesen und durch eindrucksvolle Beispiele belegt. Diese Melodie-Übernahmen waren aber durchaus nicht einseitig, umgekehrt sind Mozart- und Haydn-Melodien in die tschechische und kroatische Volksmusik eingegangen.

Wie kommt es aber, daß wir in der dem Volkslied so gewogenen Romantik und ganz besonders in ihrer Spätphase die Natürlichkeit seiner Einbeziehung in die Kunstmusik manchmal vermissen, ja daß wir bei Gustav Mahler eine wenn auch in ihrer Gebrochenheit faszinierende Künstlichkeit spüren, während bei vielen südosteuropäischen Komponisten der gleichen Zeit diese Einheit von volksliedhaften Elementen und von in Jahrhunderten gewachsenen, meist durch die deutsch-romantische Schule vermittelten Strukturen so zwingend erscheint?

Die Antwort wird zunächst darin liegen, daß bei vielen südosteuropäischen Komponisten das Volksmusikhafte nicht eine Verbrämung darstellt und daß es durchaus nicht in romantischer Verklärung erscheint. Es stellt vielmehr den entscheidenden Kern der Musik dar, schon deshalb, weil die Volksmusik in diesen Ländern länger als in Westeuropa die allgemein gültige und allgemein verstandene Musiksprache war oder durch die rege einsetzende Sammeltätigkeit wieder wurde.

Viele neuere Komponisten wie Béla Bartók oder Zoltán Kodály oder Musikerpersönlichkeiten aus dem südslawischen Raum haben sich viel intensiver als je ein westlicher Komponist mit der heimatlichen Musik beschäftigt und unmittelbar aus ihr heraus komponiert, sei es, daß sie ganze Melodien oder typische melodische und rhythmische Wendungen übernahmen oder aus dem Geiste dieser Musik heraus und von ihr inspiriert völlig Neues schufen. Selbst ein durch sein Leben und seine Laufbahn eng mit dem westlichen und besonders dem französischen Musikleben verbundener Komponist wie der Rumäne George Enescu (1881–1955) hat sich immer wieder zur rumänischen Volksmusik als einer entscheidenden Wurzel seines Schaffens bekannt.

Bei aller ethnischen Vielfalt ist diesen Ländern freilich Entscheidendes gemein: Durch eben diese Vielfalt, durch eine Fülle von Wechselbeziehungen, durch den oft durch das hochmusikalische Volk der Zigeuner vermittelten orientalischen Einfluß, überhaupt durch den nachhaltigen Eindruck, den der Islam auf fast der ganzen Balkanhalbinsel hinterlassen hat, hat die Volksmusik in all diesen Ländern einen unvergleichlichen und einmaligen Reichtum sowohl in melodischer als auch in rhythmisch-metrischer Beziehung gewonnen. Von größter Wichtigkeit aber war, daß mit der Wiedergewinnung oder überhaupt Entstehung nationaler Identitäten der Volksmusik eine gewaltige Schwungkraft zukam, die die Einflüsse romantischer deutscher Musik oder der italienischen Oper zurückzudrängen vermochte oder sie den eigenen musikalischen Ideen dienstbar machte.

Für viele Komponisten galt das viel später formulierte Wort von Zoltán Kodály: „Man könnte glauben, daß je mehr wir uns der Welt anpassen und auf unsere eigene Stimme verzichten, desto bessere Bürger der Weltmusik könnten wir werden. Gerade das Gegenteil ist wahr: Wenn wir uns selbst besser kennen, werden wir dadurch bereichert... der Welt mehr sagen können als bisher."

Wie die Zeitpunkte der entscheidenden politischen Vorgänge – Zurückdrängen der türkischen Herrschaft aus Griechenland, Widerstand der Ungarn gegen das Habsburg-Regime, schrittweise Verselbständigung der südslawischen Staaten und Rumäniens, Ende der Herrschaft der Wittelsbacher in Griechenland – sich über ein Jahrhundert verteilen, so brachte dieser Zeitraum nacheinander nationale Stile oder Schulen hervor, die, aus der Volksmusik heraus geboren, sich bis ins 20. Jahrhundert hinein der Entwicklungen, die die westliche Musik im Lauf der Jahrhunderte errungen hatte, bedienten und so im Werke bedeutender Komponistenpersönlichkeiten zur Weltsprache wurden.

Natürlich kann nicht jedes Charakteristikum der Volksmusik, das vielleicht in Jahrtausenden gewachsen ist oder Jahrtausende unverändert besteht, mit den ebenfalls in einem langen Prozeß gereiften Formen der westlichen Musik verschmolzen werden. Die Musiker, die diese Synthese schaffen wollten, standen vor scheinbar unüberbrückbaren Gegensätzen.

Die Volksmusik ist oft einstimmig, ihre Melodien sind manchmal über ausgehaltenen Noten (Bordun) frei schwebend, die Kunstmusik ist mehrstimmig und von oft äußerst komplizierter Verknüpfung der Stimmen. Die westliche Musik hatte sich, ausgehend vom Reichtum der mittelalterlichen Kirchentöne, zum Dur-Moll-System hinentwickelt. In der südosteuropäischen Musik finden wir jedoch eine Fülle von Skalen mit nicht selten labilen Zwischenstufen, die sich mit den Ausführenden und von Aufführung zu Aufführung ändern können – welch ein Gegensatz zur temperierten Stimmung, die auf gleichen Tonabständen und feststehenden Tonhöhen beruht.

Der differenzierten, aber letztlich auf Konsonanz und Wohlklang – im westlichen Sinne – zielenden Harmonik deutsch-österreichischer Romantik stehen nicht nur Einstimmigkeit, sondern auch Parallelführung der Stimmen in engstem Abstand (in bestimmten Gegenden Jugoslawiens z. B.) oder dissonante, im westlichen Verständnis unreine Schwebungsdiaphonie (Bulgarien, Bosnien, Albanien, Nordepirus) gegenüber.

Die Komponisten hatten sich mit dem Instrumentarium auseinanderzusetzen. Das klassisch-romantische Orchester war ja in seiner Besetzung standardisiert, die Volksmusik hat dagegen von Land zu Land ihr eigenes, vielfältiges und an Farbe reiches Instrumentarium entwickelt. Die oft gepreßte Stimmgebung des Volksgesanges war etwas völlig anderes als der romantische Liedgesang oder der Gesangsstil der italienischen Oper.

Darüber hinaus hatte die heimische Musik einen rhythmischen Reichtum von improvisatorischer Flexibilität und von im Vergleich mit der klassisch-romantischen Rhythmik und Metrik äußerst komplizierten, sogenannten unregelmäßigen Taktarten, wie wir sie in der Türkei oder in Bulgarien finden (früher als „bulgarische" oder „türkische Rhythmen" bezeichnet).

Nicht übersehen werden darf auch, daß die Sammelwerke, aus denen die Komponisten ihre Anregungen bezogen (insoweit sie nicht selbst Volksmusikforscher waren) nicht immer absolut authentische Quellen waren. Einseitige Auswahl, scheinbare Verbesserungen oder die Anpassung an von der Kunstmusik geprägte Geschmacksrichtungen waren nicht selten. Das gilt schon für die deutschen Sammelwerke von Anton Wilhelm Florentin von Zuccalmaglio (1803–1869), Ludwig Christian Erk (1807–1883) oder Franz Magnus Boehme (1827–1898), ebenso aber auch für die Ausgaben südosteuropäischer Sammler, die heimischen Volksmelodien eine ihrem Charakter oder ihrer modalen Struktur widersprechende romantisierende Liedbegleitung unterlegten.

Trotz dieser Einwände soll die ungeheure Leistung, die sich in diesen Sammelwerken niederschlug, nicht unterschätzt werden, insbesondere nicht im Hinblick auf ihre inspirierende Wirkung für die Kunstmusik. Daß die neueren Ausgaben, die auf den wissenschaftlichen Arbeiten von Musikethnologen beruhen, diese Gefahren nicht mehr in sich bergen, sei nur noch am Rande vermerkt.

Die Verbindung zweier Welten kann kein technischer, kalkulierbarer Vorgang sein, sondern bedarf der schöpferischen Potenz großer Musiker. Bartók hat einmal gesagt, daß es ohne diese schöpferische Potenz völlig gleich sei, ob eine Musik auf volksmusikalischen oder anderen Elementen aufgebaut sei. Es gehört zu den großen geistigen Leistungen des südosteuropäischen Raumes, daß er Musikerpersönlichkeiten hervorgebracht hat, denen diese Verschmelzung gelang und die für ihre Länder zu Begründern einer nationalen und zugleich internationalen Musik wurden.

Natürlich gelang diese Verschmelzung nicht immer auf Anhieb. In Ungarn stehen am Anfang wichtige, von nationalem Schwung getragene Werke wie die symphonische Dichtung „Hungaria" von Franz Liszt (1856) oder die Oper „Bánk Bán" von Ferenc Erkel, die zwar schon 1852 komponiert wurde, wegen angeblich dynastiefeindlicher Tendenzen des Textes aber erst 1861 zur Uraufführung kam. Allerdings war es noch ein weiter Weg von diesen letztlich doch in einem romantisch verklärten deutsch-ungarischen oder im Falle der Oper italienisch-ungarischen Mischstil befangenen Werken bis zum Jahre 1905, als durch Zoltán Kodálys (1882–1967) erste Reise zur Erforschung des ungarischen Volksliedes und dann gemeinsam mit Béla Bartók (1881–1945) ein neues Kapitel ungarischer Musikgeschichte begann, die, wie Bartók selbst es formuliert und gefordert hat, „Synthese zwischen Ost und West".

Franjo Zaver Kuhač (1834–1911) hat mit seiner 1878–1881 erschienenen Sammlung von etwa 1600 südslawischen Volksmelodien die auch heute noch bedeutendste Quelle ihrer Art in Kroatien geschaffen. Der Serbe Stevan Mokranjac (1856–1914) verarbeitete mazedonische, bosnische und montenegrinische Volksmelodien in seinen Vokalrhapsodien. Josip Slavenski (1896–1955) ist einer der bedeutenden Vertreter der neueren kroatischen Musik. Sein erstes Streichquartett wurde 1924 in Donaueschingen preisgekrönt, seine Symphonie „Balkanophonie", ein Ergebnis seiner Erforschung der Volksmusik aller Völker des Balkans, wurde von Erich Kleiber in Berlin uraufgeführt und in den Musikzentren Europas und der USA oft gespielt.

Als Begründer eines bulgarischen Nationalstils kann wohl Emanuil Manolov (1860–1902) gelten. Unter den neueren bulgarischen Komponisten ragen Ljubomir Pipkow (1904–1974) mit seiner Einbeziehung charakteristischer Melodiewendungen und Rhythmen des Volkslieds ebenso hervor wie Pancho Vladigerov (1899).

Bei vielen dieser Komponisten wirkte auch das Studium in ausländischen Musik-
zentren prägend. So war Pipkow Schüler von Paul Dukas in Paris, sein Landsmann
Dobri Christov (1875–1941) von Antonin Dvořák in Prag. Der Kroate Blagoje
Bersa studierte bei Robert Fuchs in Wien, sein Landsmann Jakov Gotovac
(1895–1982) bei Josef Marx, ebenfalls in Wien, und der Serbe Stevan Mokranjac bei
Joseph Rheinberger in München.

George Stephanescu (1843–1925) hat wohl als erster rumänischer Komponist auf
den Reichtum der Volksmusik und die Möglichkeit ihrer Einbeziehung in die Kunstmusik aufmerksam gemacht. Sein Schüler Dumitru Georgescu Kiriac (1866–1928)
sammelte rumänische Volkslieder systematisch und nahm sie phonographisch auf.
Auf George Enescus enge Bindung zu seiner heimatlichen Musik wurde an anderer
Stelle schon aufmerksam gemacht.

Griechenland, durch seine geographische Lage seit jeher in enger Berührung mit
dem Orient, hat eine eigentliche, selbständige Kunstmusik erst spät entwickeln
können, am frühesten wohl auf den nicht unter türkischer Herrschaft stehenden
ionischen Inseln. Wenn dort auch der italienische Einfluß unverkennbar war, so
haben doch Komponisten wie Nikolaos Manzaros (1795–1875) aus Kerkyra, der
Schöpfer der griechischen Nationalhymne, einem griechischen Nationalstil den Weg
geebnet. Dionysios Lavrangos (1864–1941) und Manolis Kalomiris (1883–1962)
haben diesen Weg vervollkommnet. Beide vermeiden, Volksmelodien unverändert
zu übernehmen, aber viele ihrer Kompositionen sind spürbar von volkstümlichen
Rhythmen und Modi, aber auch von orientalisierender Chromatik geprägt. Selbst
Nikos Skalkottas (1904–1949), Schüler von Philipp Jarnach und Arnold Schoen-
berg, Schöpfer einer eigenartigen und selbständigen Zwölftontechnik, läßt in seinen
späteren Werken volksmusikhafte Elemente verschleiert anklingen.

Zum mindesten bis in das 19. Jahrhundert hinein hat sich die türkische Volks- und
Kunstmusik ungestört und unbeeinflußt von Europa entwickelt. Vielmehr hat die
türkische Musik ihren Einzug in die europäische Militär- und dann auch Kunstmusik in Gestalt eines reichen, farbigen Schlagzeuginstrumentariums in charakteristischer Zusammenstellung gehalten. Diese von den Janitscharentruppen benutzten
Instrumente tauchen vom Anfang des 18. Jahrhunderts an in westeuropäischen und
russischen Militärkapellen auf, bald aber auch in Opern von Gluck (1764) und
Grétry (1778). Die schönsten Beispiele der Verschmelzung von Janitscharen- und
Kunstmusik sind Mozarts „Die Entführung aus dem Serail" und – losgelöst von
exotischem Kolorit und zu weltumspannendem Klangrausch gesteigert – das Finale
aus Beethovens IX. Symphonie.

Eine Pflegstätte der Kunstmusik und auch der musiktheoretischen Untersuchung
war der Hof der Sultane, die selbst oft ausgezeichnete Musiker und Komponisten
waren.

Ab dem 19. Jahrhundert fand eine schrittweise Europäisierung des Musiklebens
statt, markiert durch Ereignisse wie die Berufung Giuseppe Donizettis, des Bruders
von Gaetano Donizetti, zum Musikdirektor des Sultanshofs (1828) oder die im
Rahmen der Reformpläne Kemal Atatürks erfolgte Gründung des Staatskonservato-
riums in Ankara u. a. durch Paul Hindemith. In den großen Städten ist deshalb das
Konzertleben weitgehend europäisch geprägt.

Im 20. Jahrhundert hat eine ganze Komponistengeneration die Verbindung von europäischen Formen mit melodischen und rhythmischen Elementen türkischer
Volksmusik gesucht. Bedeutende Vertreter dieser Richtung sind Ahmed Adnan Say-

gun (1907), der in Paris bei Vincent d'Indy studierte, als Komponist und Musikwissenschaftler sich jedoch intensiv der türkischen Volksmusik gewidmet hat und Ferit Tüzün (1929–1977).

Es darf nicht verschwiegen werden, daß die Verbindung zweier Welten auch Probleme aufwirft. Das beginnt schon bei der Volksmusik selbst, deren Pflege ja durch die Modernisierung und Technisierung des Lebens unaufhaltsam in den Hintergrund gedrängt wird. Dies gilt nicht nur in den Ballungsräumen der Großstädte und in den Zentren des Tourismus, sondern auch für deren immer weiter reichenden Einflußbereich. Wir sehen das in der Türkei, wo die Volksmusikpflege nur auf dem Lande noch intakt ist. Die kunstvollen, schriftlich oft kaum fixierbaren sogenannten bulgarischen Rhythmen (zusammengesetzte, unregelmäßige Taktarten, wie es sie auch in der Türkei oder in Teilen Rumäniens gibt – der bayrische Zwiefache oder der tschechische Furiant beruhen ebenfalls auf diesem Prinzip), werden durch moderne Volksmusikgruppen am Leben erhalten, aber eben auf Kosten ihrer nahezu unwägbaren Freiheiten. Die gleiche Gefahr tritt natürlich auch auf, vielleicht sogar in verstärktem Maße, wenn melodische oder rhythmische Feinheiten, deren Reiz gerade darin beruht, daß sie nicht oder kaum zu fassen und zu fixieren sind, in eine komplizierte Orchesterpartitur eingewoben werden, wo sie schon um des präzisen Zusammenspiels willen genau fixiert werden müssen.

Beide Welten, die der südosteuropäischen Volksmusik und die der westlichen Kunstmusik klassisch-romantischer Prägung – und um die geht es ja bei dieser Synthese fast ausschließlich – haben ihre eigenen Gesetze. Eine Taktart, die einem Westeuropäer unregelmäßig erscheint, ist für einen Bulgaren oder Türken völlig natürlich. Das parallele Singen oder Musizieren in engem Intervallabstand, das wir in manchen Gegenden Jugoslawiens hören, ist nur für den Touristen dissonant, für den Einheimischen ist es die selbstverständlichste Sache der Welt. Die scheinbar unreinen Töne, die es in rumänischer oder griechischer Volksmusik gibt, sind nur unrein, wenn sie vom Standpunkt der nivellierenden temperierten Stimmung aus gehört werden. Diese Voreingenommenheit, die sich manchmal schon in der Terminologie äußert, hat manchmal die Verständigung unter den Theoretikern erschwert. Die lebendige Volksmusikforschung hat jedoch nachdrücklich auf die Zusammenhänge und auf Verbindendes hinweisen können, große Komponisten haben die Verschmelzung von scheinbar Unvereinbarem geschaffen.

Volksmusikforschung, vergleichende Musikwissenschaft, Musikethnologie stehen noch vor vielen offenen Fragen. Die Zukunft wird noch Antworten geben müssen, Antworten, die über das rein Musikalische hinaus auf tiefere historische, kulturelle und ethnische Zusammenhänge hinweisen werden.

Samuel Baud-Bovy

Das griechische Volkslied zwischen West und Ost

So wie die Volkssprache hat sich das griechische Volkslied von der Antike bis zur Gegenwart wenig verändert. Einflüssen vom Westen wurde es erst nach den Kreuzzügen, vom Osten erst nach der türkischen Eroberung und dem Eindringen der Zigeuner ausgesetzt.

Was uns erlaubt, dies zu behaupten, sind zwei Denkmäler altgriechischer Volkslieder, die uns schriftlich erhalten sind.

Das eine ist der berühmte Vierzeiler auf der Grabstele des Seikilos. Die Inschrift wurde im 1. Jh. n. Chr. eingemeißelt; das Lied könnte jedoch älter sein. Die Übertragung in unsere Notenschrift bietet keine besonderen Schwierigkeiten und darf als gesichert angenommen werden. Obschon die rhythmische Notation, mit Arsispunkten, Längestrichen und Bindebogen, eine hochentwickelte ist, möchte ich, da sie vom leimma (Λ), dem Zeichen für die Pause, keinen Gebrauch macht, die Pausen hinzufügen; sie ermöglichen einen der Struktur des Textes mit seinen vier unabhängigen Sätzen angemessenen Vortrag. Den vorletzten Tonbuchstaben, der kleiner ist als die übrigen, verstehe ich als einen durchgehenden Vorschlag, und, so wie die Schlußnoten der übrigen Verse, scheint mir die letzte Note des Liedes keine ausgehaltene zu sein (Bsp. 1).

Die Gründe, weshalb ich das Lied als volkstümlich betrachte, sind folgende:
1. Die Verse lassen sich nach den Regeln der klassischen Metrik nicht analysieren: von Wilamowitz-Möllendorff hat sie als „recht komplizierte iambische Dimeter" bezeichnet[1]. Solche Verse findet man, wie Brăiloiu es gezeigt hat, in den Kinderreimen verschiedener Länder[2]. Im Deutschen würde man sie einfach als vierhebige bezeichnen. Man vergleiche:

Eins,	zwei,	Geissel	bei,		Ὅσον	ζῇς,	φαί	νου,
Geh in	d'Schul' und	lerne	was,		μηδὲν	ὅλως	σὺ λυ	ποῦ.
Muss dei	Hämmerli	bei dir	habe		Πρὸς ὀλί	γον ἐσ	τὶ τὸ	ζῆν
Eia po	peia, was	rasselt im	Stroh		τὸ τέλος	ὁ χρόνος	ἀπαι	τεῖ.

2. Der achttaktige Periodenbau.
3. Die Ähnlichkeit mit heutigen Volksliedern:
a) Was den Rhythmus und die Form anbelangt, kann man das Seikiloslied mit einem neugriechischen Tsámikos aus der Peloponnes vergleichen (Bsp. 2). Während man

das Formschema des Tsámikos durch die Buchstaben ABBB' darstellen kann, würde man für das Seikioslied das Schema ABB'C anwenden. Eigentlich ist auch die vierte Zeile des Seikiosliedes bis auf die Kadenz eine Variante der zwei vorhergehenden; die Unterschiede, die die drei Zeilen aufweisen, sind durch die musikalischen Akzente der Wörter verursacht.

b) Zum Modus haben wir keine neugriechische Parallele vorzubringen, wohl aber eine rumänische aus der Provinz Bihor (Bsp. 3).

c) Der Schlußabfall in die Unterquarte „kommt bei asiatischen Naturvölkern und sogar auf dem Balkan sehr häufig als eine Art Schluchzer vor; man darf ihn daher nicht als eine strenggemessene Kadenz auffassen"[4]. Dieser Schlußabfall kommt öfters in neugriechischen Volksliedern des Festlandes vor[5]; Bartók beobachtete ihn auch in rumänischen Volksliedern aus Maramures (Bsp. 4). Auch Winnington-Ingram[6] faßt das G, und nicht den Schlußton D als Tonika auf.

Gevaert[7] war der erste[8], der auf die Ähnlichkeit des Seikiloslieds mit der ersten Antiphone des Palmsonntags wies (Bsp. 5). Gemein sind ihnen der anfängliche Quintensprung, die Mittelkadenz auf die 7. Stufe (Untertonika), die dreimalige Wiederholung der Tonika an der Schlußkadenz.

Das zweite altgriechische Volkslied, dessen Melodie wir kennen, ist die Anrufung an die Muse, die Vincenzo Galilei, samt anderen Stücken im Jahre 1581 in seinem „Dialogo della musica antica et della moderna" veröffentlichte. Seitdem hat man sie in anderen Handschriften gefunden, wo sie gleichfalls mit einer Anrufung an Apoll und Euterpe und mit verschiedenen Hymnen von Mesomedes, dem Hofmusiker Hadrians, verknüpft ist. Schade, daß Pöhlmann in seinem klassischen und wertvollen Buch „Denkmäler altgriechischer Musik" auf der Zuweisung des kleinen Stückes an Mesomedes weiter beharrt[9]. Wie Th. Reinach[10] und Wilamowitz[11] nachgewiesen haben, hat die Anrufung an die Muse nichts gemein mit der Dichtkunst von Mesomedes, und meines Erachtens auch nichts mit seiner Tonkunst. Während Mesomedes den archaistischen dorischen Dialekt und klassische Metren beibehalten hat, ist die Anrufung an die Muse im ionischen Dialekt gedichtet und ihr Vers ist der katalektische iambische Tetrameter, den ausschließlich die Komiker in der Antike angewandt haben, weil er als volksmäßig und gemein galt, und den auch die byzantinischen Dichter als „politischen" (populären) verachteten. Dieser iambische Fünfzehnsilbler, mit obligatem Binnenschluß nach der achten Silbe, ist bis heute der Hauptvers des griechischen Volksliedes.

Falls die musikalische Strophe zwei solche Verse umfaßt, ist sie eigentlich, wie beim Seikiloslied, eine vierzeilige. Die Handschriften geben nur die Höhe der Töne in Buchstabennotation an; der iambische Rhythmus ist durch den metrischen Wert der Silben angedeutet.

Bis auf zwei Punkte basiert meine Transkription (Bsp. 6) auf derjenigen, die Reinach

(1896) vorgeschlagen hat: a) Den freien Lauf der Melodie möchte ich nicht in den starren $^{12}/_8$-Takt einbetten; die punktierten Taktstriche, die ich gezeichnet habe, haben bloß andeutenden Wert. b) Zum Worte μολπῆς fehlen die Notenzeichen; man ist also frei, Noten zu ergänzen. Man hat a-a, a-b und b-b vorgeschlagen; a-c scheint mir mehr angebracht. In seinem späteren, mehr verbreiteten Werk „La musique grecque[12]“, gibt Reinach eine andere Transkription mit „lombardischer“ Betonung des Iambus und mit einem unbegreiflichen Fehler am Ende. Da derselbe Fehler wieder im grundlegenden Buch von Pöhlmann vorkommt[12], besteht die Gefahr, daß er sich in der Fachliteratur einbürgert, da ja Pöhlmann ihn durch seine angeblich „diplomatische“ Transkription gewährleistet. Es handelt sich um die drei Notenzeichen, die zu den zwei letzten Silben gehören. Die Faksimiles der drei Handschriften[14] sind eindeutig: zwei Buchstaben (ΜΦ) fallen der Silbe -νεί-, eine (C) der Silbe -τω zu, während Pöhlmann sie irrtümlicherweise umgekehrt gruppiert und entsprechend transkribiert.

Anstoß erregte die Interpretation, die Reinach (1896) für das Notenzeichen N (Cis) vorschlug[15]; er selbst hat sie in seiner zweiten Fassung (1926) nur als Variante angeführt. Dieses Cis hat jedoch für den Ethnomusikologen nichts Befremdendes: im Tetrachord A-D sind nämlich die Zwischenstufen labil; Bartók[16] hat am selben Abend, im selben Kaffeehaus, dasselbe Lied, von vier Sängern, jedesmal mit anderen Zwischentönen notiert:

Der volkstümliche Charakter der Anrufung an die Muse wird durch den Vergleich mit einem Lied, das wir in Kreta 1954 aufnahmen, bestätigt (Bsp. 7). Beiden gemein

sind der Rhythmus und die Kadenzen, auf der 1ten, 3ten und 4ten Stufe; jüngere Sänger, die Varianten desselben Liedes sangen, erweiterten den Tonumfang bis zum f. Die meisten aber wandten anstatt des iambischen Rhythmus den Rhythmus an, den Brăiloiu als „giusto syllabique bichrone“ bezeichnet hat[17], das heißt einen Rhythmus, wo jeder Silbe eine Note zukommt, deren Dauer entweder einem Viertel oder einem Achtel entspricht.

Solchen Rhythmus bietet die Marienklage, die am Karfreitag in Zypern von den Männern gesungen wird (Bsp. 8). Es gibt französische Passionslieder, deren Versbau, Rhythmus und Melodie ganz ähnlich sind (Bsp. 9). Da Zypern drei Jahrhun-

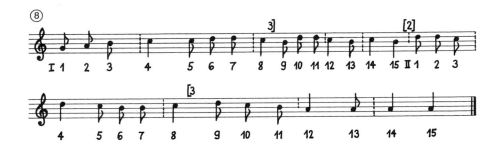

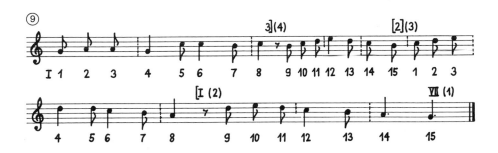

derte hindurch (von 1192 bis 1489) unter französischer Herrschaft gestanden hat, ist man nicht geneigt, solche Ähnlichkeiten als zufällig anzusehen. In früheren Aufsätzen habe ich die Meinung geäußert, daß es sich um einen französischen Einfluß handle, weil ich glaubte, die griechischen Marienklagen seien alle gereimt und man weiß, daß der Reim vom Abendland her in Griechenland eingeführt wurde. Da aber die älteren zyprischen Passionslieder ungereimt sind, halte ich jetzt die entgegengesetzte Lösung für wahrscheinlicher. Wie man gesehen hat, war der Fünfzehnsilber seit dem Altertum ein Hauptvers des griechischen Volksliedes, während er in Frankreich, obschon im 12. Jh. bereits nachweisbar, nur eine späte und sehr mäßige Verbreitung aufweist und in keinem anderen religiösen Lied vorkommt.

Sollte sich diese Hypothese bestätigen, dann wäre man geneigt, auch den deutschen Balladenvers vom griechischen Fünfzehnsilber abzuleiten. Wie Helga Stein[18] es für die Ballade der „bösen Schwiegermutter“ und ich selbst für diejenige des „verkleideten Freiers“ bewiesen haben[19], wurden südosteuropäische Balladen in den deutschsprachigen Raum, sei es durch fahrende Musiker oder durch Vaganten, eingeführt. Auf jeden Fall klingen die Anfangsverse der Ballade des verkleideten Freiers im Deutschen und im Griechischen ganz ähnlich:

> Es wurb, es wurb eins Köningsson wol umm ein' Keyserinne,
> es wurb wol siben gantze jar, er kont sie nit gewinnen.
> Ὁ Χατζαράκης ὁ μικρός, ὁ Μικροχατζαράκης
> δώδεκα χρόνους πολεμᾷ τὴν᾽ Ἀρετὴ νὰ πάρει.
> Der kleine Chatzarakis, Chatzarakis der kleine,
> es sind zwölf Jahre daß er strebt Areti zu gewinnen.

Die diesbezügliche Melodie, die Louis Pinck in Lothringen aufzeichnete (Bsp. 10), weist denselben Rhythmus und denselben Tonumfang wie die vorhergehenden Beispiele auf, nur daß seine zweite und seine vierte Zeile gleich sind und folglich ihr Schema ABCB lautet. Dieses Schema haben verschiedene griechische Lieder, z. B. ein historisches Lied aus Kreta (Bsp. 11). In diesen beiden letzten Liedern, dem

deutschen und dem griechischen, kadenzieren die erste und die dritte Zeile auf demselben Ton, auf der 2ten Stufe im lothringischen, auf der 7ten im kretischen Lied. Letzteres ist daher einem westlichen Osterlied ganz ähnlich, dem berühmten Palmsonntags-Prozessionslied „Gloria, laus…", dessen Melodie keine Rücksicht auf die Metrik der elegischen Distichen nimmt, welche der Bischof Orleans Theodulf, ein spanischer Gote, im 10. Jahrhundert dichtete (Bsp. 12). Da diese Analogie wieder

ein Osterlied betrifft, ist man versucht, diese beiden Fälle durch die Kontakte, zu denen die Pilgerfahrten nach Jerusalem Anlaß gaben, zu erklären.
Es sei noch ein Fall erwähnt, wo ein griechisches Volkslied einer Antiphone der abendländischen Kirche ganz ähnlich klingt. Das griechische Lied, das ich im Jahre 1930 auf der Insel Nisyros aufschrieb, ist dreizeilig, und sein Rhythmus ist nicht mehr rein syllabisch, ohne jedoch üppig ornamentiert zu sein (Bsp. 13). Die Anti-

22

phon, die schon Walter Wiora[20] mit einem niederrheinischen und einem wendischen Lied verglichen hat, wird am Fest Mariae Verkündigung gesungen (Bsp. 14). Die melodische Linie der ersten Zeile, die sowohl im „Pange lingua" des Venantius Fortunatus (5. Jh.) (Bsp. 15 a) wie in byzantinischen Troparien (Bsp. 15 b) vorkommt, findet sich schon in der frühchristlichen ägyptischen Hymne, die uns ein Papyrus aus Oxyrynchus bewahrt hat (Bsp. 15 c).

Aus diesen vielen Beispielen darf man freilich nicht den Schluß ziehen, daß in jedem Fall eine griechische Abstammung unleugbar ist. Doch eines muß man im Auge behalten: auf griechischem Boden sind die hervorgehobenen musikalischen Merkmale schon vor zwei Jahrtausenden dokumentiert und haben sich bis auf den heutigen Tag erhalten.

Wie wir anfangs gesagt haben, treten westliche und östliche Einflüsse verhältnismäßig spät auf.

Aus Westeuropa hat das griechische Lied der Inseln und der Küstengebiete den Reim angenommen, der zu den improvisierten Distichen und den längeren erzählenden Gesängen der halbberuflichen Sänger unerläßlich ist. Die Kunstpoesie hat den italienischen Elfsilbler im 16. Jh. in Zypern, im 17. Jh. in Kreta eingeführt, während das Volkslied ihn erst später und im beschränkten Maß angenommen hat. Nach abendländischen Mustern wurden Lieder als Dreizehnsilbler und Fünfsilbler im 18. und 19. Jh. gedichtet. Und die Volksmusik der Ionischen Inseln hat sich in hohem Grad europäisiert.

Der Einfluß der orientalischen Musik war ebenso groß und hat sich auf zweierlei Weise vollzogen. Die Griechen Kleinasiens waren meistens zweisprachig und sangen gerne türkische Lieder. Die sogenannten „Amane", die aus der Kunstmusik stammen, sind durchaus orientalischer Prägung; sie unterscheiden sich von den übrigen griechischen Volksliedern durch den größeren Tonumfang, die absteigende Tendenz des Melos, die sequenzierenden Motive, die vielen Melismen und die Mannigfaltigkeit der Skalen der sogenannten „Makamen". Sie werden regelmäßig durch ein instrumentales Vorspiel, das „Taksim", eingeleitet. Ihr Vers ist jedoch meistens der griechische iambische Fünfzehnsilbler. Wie in Westgriechenland durch die tonale Mehrstimmigkeit wurde in Ostgriechenland die geistliche Musik durch die arabopersische in bedeutendem Maß beeinflußt.

Aber auch auf dem balkanischen Festland hat eine Orientalisierung der Volksmusik stattgefunden, die man den Zigeunern zuschreiben darf. Als gewandte Instrumentalisten, aber auch als begabte Sänger haben sie, besonders in Epirus, der heimischen Musik ihren eigenen Stil verliehen. Um sich davon zu überzeugen, braucht man nur dasselbe Lied anzuhören, wie es ein thessalischer Bauer und ein Zigeuner aus Epirus singen. Die starre halbtonlose Tetratonik des bodenständigen Melos wird durch eine biegsame melodische Linie mit Halbtönen und übermäßigen Sekunden ersetzt.

Durch den Zufluß der Flüchtlinge aus Kleinasien nach dem Ersten Weltkrieg ergab sich ein Gleichgewicht zwischen westlichen und östlichen Tendenzen, das zu dem Erfolg der sogenannten „rebetika" beitragen sollte.

Das Thema der „rebetika" möchte ich aber den Musikhistorikern und den Soziologen überlassen.

Anmerkungen

1   U. v. Wilamowitz-Möllendorff, Griechische Verskunst, Berlin 1921, S. 132.
2   Constantin Brăiloiu, Le rythme enfantin. Notions liminaires, in: Les Colloques de Wégimont, I, Paris–Brüssel 1954, S. 64–96. Der leicht veränderte und La rythmique enfantine betitelte Sonderdruck wurde in: Problèmes de musicologie, Genf 1973, S. 267–299, abgedruckt.
3   ibid., S. 14, 12, 18, 19.
4   Curt Sachs, Musik des Altertums, Breslau 1924, S. 63.
5   G. K. Spyridakis u. Sp. D. Peristeris, Ἑλληνικὰ δημοτικὰ τραγουδια, III, Μουσικὴ Ἐκλογή (Δημοσιεύματα τοῦ Κέντρου Ἐρεύνης τῆς Ἑλληνικῆς Λαογραφίας), Athen 1968, S. 46, 59, 343.
6   R. P. Winnington-Ingram, Mode in ancient Greek Music, Cambridge 1936, S. 38.
7   Fr. Aug. Gevaert, La mélopée antique dans le chant de l'Eglise latine, Gent 1895, S. 313.
8   Nicht Anton Möhler, wie W. Fischer (Das Grablied des Seikilos, in: Ammann-Festgabe I, Innsbruck 1953, S. 153–165, S. 161) irrigerweise angibt.
9   Egert Pöhlmann, Denkmäler altgriechischer Musik, Nürnberg 1970, S. 25.
10 Th. Reinach, L'Hymne à la Muse, in: Revue des Etudes grecques 9 (1896), S. 1–22, S. 19. – H. Weil u. Th. Reinach, Plutarque, De la musique, Paris 1900, S. 19, Anm. 45.
11 U. v. Wilamowitz, Timotheos, Die Perser, Leipzig 1903, S. 97 u. Anm. 2.
12 Paris 1926, S. 194.
13 a. a. O., S. 14–15.
14 Abb. 5, 7, 8, bei Pöhlmann a. a. O.

15 a. a. O., S. 18–19.
16 Béla Bartók, Turkish Folk Music from Asia Minor, Princeton 1976, S. 92–95 (= 156–159), Nr. 55 a-d.
17 Const. Brăiloiu, Le giusto syllabique. Un système rythmique populaire roumain, in: Anuario musical. Instituto español de Musicologia, 7, Barcelona 1952, S. 117–158. (Abdruck in: Problèmes de musicologie, Genf 1973, S. 153–194).
18 Helga Stein, Die Ballade von der bösen Schwiegermutter, Dissertation zur Erlangung des Doktorgrades der phil. Fakultät der Georg-August-Universität zu Göttingen 1974.
19 S. Baud-Bovy, Le vers de quinze syllabes dans la chanson populaire européenne, in: Foli neohellenica, III (1981), Amsterdam S. 1–10, S. 5–7.
20 W. Wiora, Europäischer Volksgesang. Gemeinsame Formen in charakteristischen Abwandlungen, Köln [1952] (Das Musikwerk IV), S. 28, Nr. 42.

Notenbeispiele

Um den Vergleich zu erleichtern, wurden mehrere Beispiele transponiert und einige Taktstriche geändert.

1 Grabstele des Seikilos.
2 Tsámikos aus dem Peloponnes, 1959 von S. Chianis aufgenommen. Sotirios (Sam) Chianis, The vocal and instrumental Tsamiko of Roumeli and the Peloponnesus, Univ. of California, Los Angeles, S. 214, Nr. 7.
3 Tanzlied aus der Provinz Bihor, 1909 von B. Bartók aufgenommen. Béla Bartók, Rumanian Folk Music, II, Den Haag 1967, S. 553, Nr. 456 c.
4 Lied aus der Provinz Maramures, von B. Bartók aufgenommen, ibid. V, 1975, S. 85, Nr. 70 a.
5 Graduel-vespéral, Paris 1924, S. 429.
6 Die Anrufung an die Muse.
7 Das Lied von Erotokritos, 1954 in Krousta (Kreta) aufgenommen. Volksmusik-Archiv des Zentrums für mikrasiatische Forschungen, Athen, Tonband I v 20.
8 Th. Kallinikos, Κυπριακὴ Λαϊκὴ Μοῦσα, Nikosia 1951, S. 191.
9 Passionslied aus dem Puy-de-Dome, 1959 von Cl. Marcel-Dubois u. Maguy P. Andral aufgenommen. Collections du Musée national des Arts et Traditions populaires, Paris, Nr. 59.15.237.
10 Louis Pinck, Volkslieder von Goethe im Elsaß gesammelt mit Melodien und Varianten aus Lothringen, Metz 1932, S. 82.
11 Das Lied von Daskaloyannis, 1953 in Askyphou (Kreta) von J. A. Notopoulos aufgenommen. Schallplatte Ethnic Folkways Library FE 4468 II 3.
12 Graduel-vespéral, S. 438.
13 Samuel Baud-Bovy, Chansons populaires grecques du Dodécanèse, II, Athen 1938, S. 207, Nr. 31.
14 Graduel-vespéral, S. 1130.
15a Bruno Stäblein, Fortunat, in: MGG IV 585.
  b Carsten Høeg, The Hymns of the Hirmologium, Part I (Mon.mus.byz. transcr., vol. VI), Kopenhagen 1952, S. 62.
  c Eg. Pöhlmann, Denkmäler altgriechischer Musik, Nürnberg 1970, S. 107.

Jerko Bezić

Die Vielfalt des Volksliedes in Jugoslawien
(Versuch einer Einteilung nach den tonalen Zusammenhängen)

Das dinarische Bergland, die Ostadriaküste, der südliche Teil der pannonischen Ebene – um nur drei bekannte und sehr verschiedene jugoslawische Gebiete zu nennen – sind zugleich Gebiete verschiedener Kulturformen. Bevölkerungsumsiedlungen, besonders zur Zeit der Türkenkriege, sechs Nationen und viele nationale Minderheiten, drei Religionsbekenntnisse, zeitlich und räumlich vielgestaltige Beziehungen zwischen Dorf- und Stadtgemeinschaften – dies alles waren Gründe für die Vielfalt in den gesamten Volkskunsterzeugnissen und auch in der Volksmusik. Die Hauptabsicht dieses Aufsatzes ist eine Darstellung des Volksgesanges in Jugoslawien mit dem Material aus der ersten Hälfte des 20. Jahrhunderts, beschränkt auf die südslawischen Nationen ohne Albaner, Ungarn, Italiener und andere. Die Erfüllung dieser Aufgabe durch eine Vorstellung von musikalischen Merkmalen – und zwar nur von tonalen Zusammenhängen – ist eine einseitige, dafür aber eindeutige Darstellungsmöglichkeit.

Jeder Mensch, sogar der einfachste Bauer aus einigen Berglandsgebieten, kennt heutzutage zwei oder, hie und da, auch drei verschiedene musikalische Ausdrucksweisen, drei Volksmusikstile. Unsere Forschungen in den sechziger und siebziger Jahren dieses Jahrhunderts haben uns überzeugt, daß die musikalische Welt der Bevölkerung in einigen Gebieten sehr bunt sein kann. Es gibt Gebiete, wo eine musikalische Ausdrucksweise, ein Stil offensichtlich dominant ist, es gibt aber kaum eines, wo die gesamte Einwohnerschaft, jung und alt, ausschließlich einen Stil verwendet. Andererseits zeigen uns die Forschungsergebnisse eine beträchtliche Nivellierungstendenz durch die Ausbreitung eines heutzutage sehr lebenskräftigen Volksmusikstils, der auch einen charakteristischen Namen, na bas („auf Bass") bekommen hat. Bei der Darstellung des Volksgesanges in Jugoslawien wollen wir uns deswegen einer Einteilung nach den tonalen Zusammenhängen des Gesanges bedienen und nicht nach den geographischen Gebieten, wo ein bestimmter Stil dominant war oder auch noch ist.

Unter dem Begriff die „musikalische Ausdrucksweise" verstehe ich eine Ansammlung von verschiedenartigen tonalen Zusammenhängen eines Gesanges, einer Weise – d. h. nicht nur den Tonbestand bzw. die Tonleiter, sondern auch die vielartige Wirksamkeit der einzelnen Töne einer Weise, die Kadenzgestaltung, die Mehrstimmigkeitsbildung. Ich bediene mich des Begriffs „Stil" bzw. „Volksmusikstil", nicht des Fachausdrucks „musikalische Mundart". Wenn wir von Dialekten sprechen, vermuten wir eine gemeinsame Grundlage, eine Sprache, die gemeinsame Wurzel ihrer Dialekte ist. In der Volksmusik Jugoslawiens finden wir zwar verwandte musikalische Ausdrucksweisen, treffen aber auch solche Gesänge, die voneinander völlig verschieden sind – wie etwa eine akkordisch strukturierte Weise aus Slowenien (aus dem Ostalpenraum) und eine andere aus Bosnien mit orientalischen Elementen. Beide sind schon mehr als zwei Jahrhunderte Bestandteile des gesamten Volksgesanges in Jugoslawien, obwohl sie offensichtlich von keiner gemeinsamen Musiksprache, von keiner gemeinsamen Musikkultur stammen.

Die Sprachwissenschaftler haben festgestellt, daß die Texte der Volksgesänge meistens in lokalen oder regionalen Mundarten vorkommen. Beispiele in der Schriftsprache sind seltener. Sie treten in Gesängen der Ostherzegowina und anderen Gebieten auf, wo die Dialekte in naher Beziehung zur serbokroatischen Schriftsprache stehen. Beispiele in der Schriftsprache findet man auch in Gesängen urbaner Herkunft.

Nach den bisher publizierten Abhandlungen haben die Sprachen und ihre Mundarten in Jugoslawien nur eine geringe Wirkung auf die Gestaltung des (Volks)melodieverlaufes und auf die vielfältigen tonalen Zusammenhänge gehabt. Was die Wort-Tonbeziehungen betrifft, sollte man hier nur auf drei Gruppen von Gesängen hinweisen:

1) Die Gesänge, bei denen der Schwerpunkt auf dem Text liegt (z. B. epische, narrative Lieder, Klagelieder). In dieser Gruppe wirkt der Text auf die Gestaltung der Melodiekurve bzw. des Melodieverlaufes.

2) Die Gesänge, bei denen Wort und Ton gleichwertig sind.

3) Die Gesänge mit attraktiven, gefälligen Melodien, die leicht begreiflich sind. Hier ist die Melodie bzw. das musikalische Element im Vordergrund. Solche Melodien werden leicht auch außerhalb der Regionen, wo sie entstanden sind, aufgenommen.

Wir wollen die Volksmusikstile in Jugoslawien in sieben verschiedene Arten einteilen. Die Reihenfolge, in der wir diese Stile vorstellen wollen, soll dabei zugleich ein Hinweis auf die mögliche Ausbreitung und Entwicklung der Volksmusik sein, die in dieser Form sehr wohl denkbar ist, aber nicht bewiesen werden kann.

I. Stil der engen Intervalle (Notenbeispiele 1 und 2)

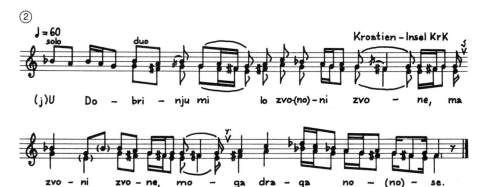

Melodien dieser Stilart sind durch Tonreihen, die sich meistens in kleinen Tonschritten bewegen, gekennzeichnet. Die Benennung enge Intervalle will auf die Intervalle, die oft viel kleiner (enger) und manchmal auch größer als die Intervalle in dem

28

System von zwölf gleichen Halbtönen sind, hinweisen. In den Tonreihen dieses Volksmusikstils kann man drei Grundformen erkennen:

1) Zwei oder mehrere aufeinanderfolgende Halbtöne, die unterschiedlich sind.

2) Ein Ganzton zwischen zwei Halbtönen in der Tonreihe bzw. eine Tonreihe, wo Halb- und Ganztöne nacheinander abwechselnd auftreten.

3) Kombinationen der angegebenen Tonreihen.

In diesen Tonreihen treten auch Töne von labilen, veränderlichen Tonhöhen auf.

Die Gesänge dieser Stilart sind meistens zweistimmig, die Schlußbildungen in einem Sekundklang (vorwiegend eine große Sekunde) oder im Unisono (bzw. in der Oktave). Bei der Stimmführung kommt oft ein liegender, lang ausgehaltener Ton, über dem sich die höhere Stimme bewegt, vor. In den Parallelbewegungen treten auch mehrere Parallelsekunden nacheinander auf (Notenbeispiel 1). Man rechnet zu diesem Stil zweistimmige Gesänge vom Typ ojkalice, in denen die obere Stimme einen schwebenden Triller auf die Silbe „oj" ausführt. Bekannte einstimmige Melodien dieser Stilart haben die älteren jugoslawischen Heldengesänge in Bosnien und Herzegowina, Kroatien, Montenegro und Serbien. Das Verbreitungsgebiet dieses Volksmusikstils erstreckt sich über Bosnien und Herzegowina, von der Halbinsel Istrien durch das gebirgige Hinterland in Dalmatien, tritt in Westserbien und vereinzelt auch in Ostserbien und Mazedonien auf.

II. Stil der wenigen Töne (Notenbeispiele 3–5)

Melodien dieses Stils sind dadurch gekennzeichnet, daß sie nur auf zwei oder drei verschiedenen Tonhöhen aufbauen. Diese Töne können benachbart sein, sie können aber auch durch Sprünge voneinander entfernt sein. Sie sind Ausdruck einer besonderen musikalischen Denkweise, die eng mit der rituellen oder magischen Funktion der jeweiligen Gesänge verbunden ist. Innerhalb der Gattungen von Brauchtumsliedern, Kinderliedern oder erzählenden Liedern sind Gesänge in diesem Stil in ganz Jugoslawien verbreitet; sie werden öfter einstimmig als zweistimmig vorgetragen.

III. Gesänge in diatonischen Tonreihen mit kleinem Umfang (Notenbeispiele 6–9)

Melodien dieser Stilart sind in Jugoslawien weit verbreitet und finden sich in ganz verschiedenen Formen. Charakteristisch ist hier vor allem die Folge von vier bis sechs aufeinander folgenden Tönen, die auf drei diatonischen Tetrachorden (1-1/2-1, 1/2-1-1, 1-1-1/2) aufgebaut sind. Die Funktion des tonalen Zentrums kann der erste oder der zweite Ton in der Tonreihe haben. In manchen Gegenden sind diese Gesänge einstimmig (Notenbeispiele 6 und 9). Bei den zweistimmigen Gesängen hat die obere Stimme in der Regel die Führung. Beispiele, bei denen die zweite Stimme unbeweglich auf dem Grundton liegt (oder nur gelegentlich in den Nachbarton ausweicht), sind besonders häufig in Mazedonien (Notenbeispiel 8 bringt zweistimmige Musik, gespielt auf dem mazedonischen Dudelsack).

IV. Gesänge mit großem Umfang, meistens einstimmig (Notenbeispiele 10 und 11)

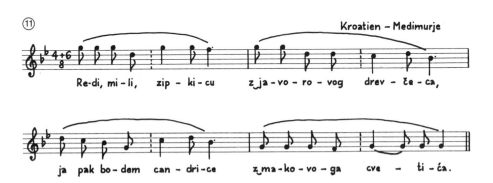

In dieser Stilart werden Melodien zusammengefaßt, die auf diatonischen Hexachord-Tonreihen fundiert sind und sich bis zu einer Dezime ausdehnen. Tetratonische Melodien und Gesänge in der anhemitonischen Pentatonik kommen heutzutage selten vor, sind aber sehr charakteristisch (Notenbeispiele 10 und 11).
Zu diesem Stil gehören auch zweistimmige Gesänge, meistens solche, die sich in

penta- und hexatonischen (wie auch penta- und hexachordischen) Tonreihen bewegen. Bei dieser Zweistimmigkeit tauchen zwischen Parallelterzen auch Quarten auf (Ostslowenien). Das Verbreitungsgebiet dieser Stilart ist hauptsächlich auf Nordwest-Kroatien und Ostslowenien, aber auch auf Mazedonien beschränkt.

V. Stil der orientalischen Elemente (Notenbeispiele 12 und 13)

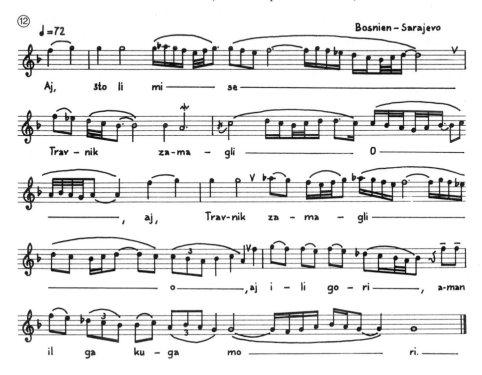

Ein Blick auf die Verbreitungsgebiete dieses Stils zeigt ganz deutlich eine Konzentration um die Hauptverkehrswege, die die Türken bei ihrem Vordringen auf dem Balkan benutzten, so vor allem die Flußtäler in Mazedonien, Bosnien und Herzegowina, Montenegro, Kosovo und Südserbien.
Es ist wichtig festzuhalten, daß Melodien dieser Stilart auch immer orientalische

Elemente enthalten, selten aber wird man rein orientalisch klingende Musik finden. Die übermäßige Sekunde wird gemeinhin als Kennzeichen orientalischer Musik angesehen. Genauere Untersuchungen haben aber gezeigt, daß dieser Tonschritt nicht nur in ehemals türkisch beeinflußten Gebieten vorkommt, sondern auch anderswo zu finden ist. Daher kann man erst in Verbindung mit der Erscheinungsform (z. B. in einer absteigenden Bewegung – c' h as g) und in dem Zusammenhang mit weiteren orientalischen Bestandteilen bei derartigen Melodien von einem Stil der orientalischen Elemente sprechen. Neben der übermäßigen Sekunde wären als weitere Elemente die unbewegliche, statische Harmonik zu nennen, die weit gespannte, oft reich verzierte Melodie, wie sie sich beispielsweise in Gesängen der bosnischen städtischen Liebeslieder findet, und eine ausgeprägt einstimmige Melodieführung.

VI. Gesänge auf Baß (na bas) (Notenbeispiele 14 und 15)

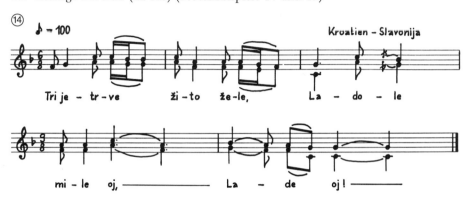

Dieser Stil ist heute in Jugoslawien der vitalste und verbreitetste; nur in den Randgebieten, in Slowenien, Istrien, im dalmatinischen Küstenland und in Mazedonien ist er nicht vorhanden. Die Benennung „auf Baß" zeigt die Rolle der unteren begleitenden Stimme auf. Die obere, führende Stimme, hat eine entwickeltere Melodiekurve, sie ist in der Regel solistisch gedacht. Das Tonmaterial der beiden Stimmen umfaßt diatonische Penta- und Hexachorde (mit kleiner oder großer Terz). Dazu kommt eine Ausdehnung auf die Unterquarte des ersten Tones. Die zwei Stimmen schließen in einer reinen Quinte, die obere Stimme auf der zweiten Stufe der Tonreihe (Notenbeispiel 14). Ein kennzeichnendes Merkmal, ein Überbleibsel des ersten Stils, ist ein Dreiklang, bei dem neben der Quinte noch eine Untersekunde vorkommt (c f g). In

33

neueren Formen sind parallele Terzen häufig. Es gibt auch Weisen, die mit einer Terz und nicht mit einer Quinte schließen (Notenbeispiel 15). In dreistimmigen Beispielen kommt auch ein Schluß im Dur-Dreiklang vor.

VII. Melodien im Dur-Tongeschlecht (Notenbeispiele 16 und 17)

Die Hauptverbreitungsgebiete dieser Stilart sind Slowenien (besonders das Alpengebiet) und die dalmatinische Küstenregion. Einige Meloddiengruppen von städtischen Liedern nördlich der Flüsse Save und Donau, wie auch in Mazedonien, gehören ebenso zum Dur-Tongeschlecht. Die Gesänge dieses Stils sind zwei- oder mehrstimmig (in Nordwestslowenien manchmal bis zu fünf Stimmen akkordisch zusammengesetzt), wobei die Oberstimme, die Mittelstimme, in der Zweistimmigkeit manchmal auch die untere Stimme, die Führung leisten. Parallele Terzen sind üblich.

Anmerkung

Dieser Aufsatz basiert im wesentlichen auf folgenden Abhandlungen zur selben Thematik (mit angegebener Literatur), die der Verfasser bis jetzt veröffentlicht hat:

„The Tonal Framework of Folk Music in Yugoslavia", in: The Folk Arts of Yugoslavia, Pittsburgh 1976.

„Stilovi folklorne glazbe u Jugoslaviji", in: Zvuk, Sarajevo 1981, Nr. 3; dasselbe auch in Makedonski folklor, Jahrgang XIV, Skopje 1981, Nr. 27–28.

Vergleiche dazu auch den Aufsatz: Ziegler, Susanne – Bezić, Jerko: „Volksmusik in Jugoslawien" in: Transit '87 – Griechenland und Jugoslawien in Berlin: Ein Almanach, Berlin 1987.

Notenbeispiele

Nr. 1

Aufzeichner (A): Cvjetko Rihtman
Veröffentlicht in (V. in): Rihtman, C., „Mehrstimmigkeit in der Volksmusik Jugoslawiens", in: Journal of the International Folk Music Council, Vol. 18 / 1966.

Nr. 2

A. : Nedjeljko Karabaić
V. in: Karabaić, N., Muzički folklor Hrvatskog primorja i Istre, Rijeka 1956.

Nr. 3

A. : Jerko Bezić
V. in: Bezić, J., „Stilovi folklorne glazbe u Jugoslaviji", in: Zvuk (Sarajevo) 1981,
Nr. 3.

Nr. 4

A. : Uroš Krek
V. in: Kommentar zur Schallplatte Slovenske ljudske pesmi, Jugoton LPY-V-682.

Nr. 5

A. : Vasil Hadžimanov
V. in: Hadžimanov, V., „Melodije makedonskih lazaričkih pesama", in: Rad IX-og
kongresa Saveza folklorista Jugoslavije u Mostaru i Trebinju, Sarajevo 1963.

Nr. 6

A. : Stjepan Stepanov
V. in: Stepanov, S., „Muzički folklor Konavala", in: Anali Historijskog instituta
Jugoslavenske akademije znanosti i umjetnosti u Dubrovniku, Band X-XI,
Dubrovnik 1966.

Nr. 7

A. : Jerko Bezić
V. in: Bezić, J., „Stilovi folklorne glazbe u Jugoslaviji", in: Zvuk (Sarajevo) 1981,
Nr. 3.

Nr. 8

A. : Aleksandar Linin
V. in: Linin, A., „Makedonska muzika. Narodna", Muzička enciklopedija Jugoslavenskog leksikografskog zavoda u Zagrebu, sv. 2, Zagreb 1974.

Nr. 9

A. : Miodrag A. Vasiljević
V. in: Vasiljević, M. A., Narodne melodije leskovačkog kraja. Posebna izdanja
Srpske akademije nauka, knjiga 330, Beograd 1960.

Nr. 10

A. :   Uroš Krek
V. in: Kommentar zur Schallplatte Slovenske ljudske pesmi, Jugoton LPY-V-682.

Nr. 11

A. :   Vinko Žganec
V. in: Hrvatske narodne pjesme i plesovi, Herausgegeben von V. Žganec und Nada
      Sremec, Zagreb 1951.

Nr. 12

A. :   Cvjetko Rihtman
V. in: Rihtman, C., „Bosansko-hercegovačka muzika. Narodna", Muzička enciklo-
      pedija Jugoslavenskog leksikografskog zavoda u Zagrebu, Band 1, Zagreb
      1971.

Nr. 13

A. :   Slavko Janković
V. in: Janković, S., Šokačke pismice, Band II, Vinkovci 1970.

Nr. 14

A. :   Tea Brunšmid
V. in: Hrvatske narodne pjesme i plesovi, Herausgegeben von V. Žganec und Nada
      Sremec, Zagreb 1951.

Nr. 15

A. :   Miodrag A. Vasiljević
V. in: Vasiljević, M. A., Narodne melodije iz Sandžaka, Beograd 1953.

Nr. 16

A. :   Julijan Strajnar
V. in: Kommentar zur Schallplatte Slovenske ljudske pesmi, Jugoton LPY-V-682.

Nr. 17

A. :   Živko Firfov
V. in: Firfov, Ž., Makedonski muzički folklor – Pesni I, Skopje 1953.

Ferenc Bónis

Bartók und der Verbunkos.
Ausgangspunkt, Konfrontation, Synthese

Der junge Bartók hat von der ungarischen Nationalromantik ein doppeltes Vermächtnis geerbt: ein gewisses historisches Bewußtsein und ein ausgeprägtes und vorgegebenes musikalisches Material. Das historische Bewußtsein fand während des 19. Jahrhunderts Ausdruck in literarischen, dichterischen, dramatischen und musikalischen Werken, in Schöpfungen der bildenden Künste sowie in historischen und politischen Arbeiten. Die Manifestationen dieses historischen Bewußtseins enthielten fast immer prophetische Elemente: die Vision vom Untergang wie von der Katharsis und Wiedergeburt der Nation. Diese Vision war Ausdruck der permanenten geistigen Verteidigung einer kleinen Nation, die durch ihre geographische Lage Jahrhunderte lang ein ständiges Streitobjekt weltpolitischer Interessen war.

Der andere Teil des Vermächtnisses der ungarischen Romantik, das erwähnte musikalische Material, war der Verbunkos[1]. Dieser – ursprünglich die Musik zur Soldatenwerbung in Ungarn – war ein in der zweiten Hälfte des 18. Jahrhunderts sich entfaltender ungarischer Tanzmusik-Stil. Die Entwicklung teilte sich dann und nahm im Laufe des 19. Jahrhunderts zwei Richtungen. Die „populäre" Richtung war durch den Verbunkos-Tanz, den Csárdás und das volkstümlich-ungarische Kunstlied gekennzeichnet; die Richtung der höheren Kunstarten fand Ausdruck in der ungarischen Symphonik, Kammermusik und in der Nationaloper. Die wichtigsten Zeugnisse dieser letzterwähnten Kunstgattungen waren die Opern von Ferenc Erkel sowie Klavierwerke und symphonische Dichtungen von Franz Liszt und Mihály Mosonyi. Manche Werke des „populären" Zweiges gelangten durch die Stilisierungen von Liszt und Brahms, durch deren Ungarische Rhapsodien und Ungarische Tänze, zu Weltberühmtheit.

Das Doppelvermächtnis der Nationalromantik trat, unter den Werken der romantischen Jugendperiode Bartóks zwischen 1902–1905, in der 1903 komponierten symphonischen Dichtung „Kossuth" am auffälligsten in Erscheinung. Es handelt sich hier um eine Untergangs-Vision, deren wichtigste musikalische Substanz der Verbunkos ist. Charakteristisch für Bartóks Entwicklung ist, daß dieses doppelte Phänomen in seinen Spätwerken auf einer höheren Ebene der Stilisierung wiederkehrt. Bartók war jedoch nicht der erste, der ungarische Staatsmänner musikalisch porträtierte. Bereits 1860 komponierte Mihály Mosonyi das Klavierwerk und die symphonische Dichtung Trauerklänge zum Tode István Széchenyis. Seinem Beispiel folgte Liszt mit seinen „Ungarischen historischen Bildnissen", unter denen sich auch das musikalische Portrait Mosonyis befindet. Bartóks Modell war Lajos Kossuth, der Anführer des ungarischen Freiheitskampfes 1848/49. Als Programm der symphonischen Dichtung dienten die Ereignisse dieses Kampfes mit tragischem Ausgang.

Nichts deutet darauf hin, daß Bartók – der später übrigens einen seiner Aufsätze Mosonyi gewidmet hat – dessen Trauerklänge zur Zeit der Komposition von Kossuth gekannt hätte. In den beiden Werken fallen jedoch neben der Parallelität der Ideen gewisse thematisch-strukturelle Ähnlichkeiten auf.

Das Hauptthema in Mosonyis Werk ist eine über einem basso ostinato erscheinende langsame Verbunkos-Melodie:

① (Maestoso)

Diesem Széchenyi-Thema von Mosonyi sei das Kossuth-Thema aus dem Trauermarsch gegenübergestellt, der Bartóks Kossuth-Symphonie abschließt. Die beiden Themen, deren melodisch-konstitutiver Rahmen die sogenannte „ungarische Tonleiter" ist, werden gleicherweise durch einen basso ostinato gestützt.

② Adagio molto

Es unterliegt also keinem Zweifel, daß der Trauermarsch als Satz-Typ – der an der ganzen schöpferischen Laufbahn Bartóks eine wichtige Funktion hatte, auch in den nicht vom Verbunkos angeregten Werken – bei ihm zuerst als organische Fortsetzung der romantisch-ungarischen Tradition erschien.

Wie wurde aber Bartók ein Fortsetzer dieser Tradition? Obwohl er seit seinem neunten Lebensjahr komponierte – in den Preßburger Jahren unter der Anleitung guter Lehrer – ist in seinen vor 1902 entstandenen Werken fast keine Spur ungarischer Motivik zu entdecken. In Preßburg – wie auch während der ersten Jahre an der Budapester Musikakademie – steht Bartók unter dem Einfluß von Brahms und Dohnányi. Was lenkte also sein Interesse auf die ungarische Musik? Es war der Aufbruch der nationale Selbständigkeit fordernden öffentlichen Meinung um 1902/03, der – nicht zum erstenmal in der ungarischen Geschichte – auch der Entwicklung der Kunst neuen Aufschwung gab. Mit Kodálys Worten: „Damals erreichte das Verlangen nach Unabhängigkeit, das sich nach der Jahrtausendfeier aller Gemüter bemächtigt hatte, seinen Höhepunkt. Es wurde zum allgemeinen Wunsch, auf jedem Gebiet den ungarischen Charakter zu betonen ... Auch Bartók trachtete danach, von der Kleidung bis zur Sprache sein Ungartum zu betonen."[2] Bartóks erstes bekanntes Werk, in dem er von Verbunkos und Csárdás angeregte Themen verwendete, waren die Vier Lieder nach Gedichten von Lajos Pósa aus dem Jahre 1902. Diesen folgten 1903 die symphonische Dichtung Kossuth und eine Sonate für Violine und Klavier, das 1903/04 komponierte Klavierquintett, die Rhapsodie für Klavier bzw. Klavier und Orchester op. 1, das Scherzo für Klavier und Orchester op. 2, die I. Suite für Orchester op. 3 (1905) und die ersten drei Sätze der II. Suite, op. 4, aus demselben Jahr. Diese Kompositionen repräsentieren – ergänzt mit einigen weiteren, vom Gesichtspunkt unserer Untersuchung weniger charakteristischen Werken – eine einheitliche, geschlossene Stilperiode, die dem „romantischen" 19. Jahrhundert noch näher steht als dem 20. Jahrhundert. Diese Periode kann unter zwei Aspekten betrachtet werden. Vom 19. Jahrhundert her gesehen, ist sie ohne Zweifel Abschluß und Vollendung. Bartók ist es in seinen damals komponierten Werken gelungen – vor allem in der gereiftesten und einheitlichsten Komposition dieser Periode, in der I. Suite – die wichtigste Zielsetzung der ungarischen Nationalromantik zu verwirklichen. Tatsächlich ist es niemandem vor ihm gelungen aus diesem, ursprünglich zum Aufbau geschlossener Kleinformen dienenden Musikmaterial, eine Substanz zu schaffen, die sich in gleicher Weise zu einer natürlichen, „kontinuierlichen" symphonischen Sprache und zu komplizierter Formung eignete. Vom anderen Ende seiner Laufbahn, von der Mitte des 20. Jahrhunderts zurückblickend, ändert sich das Bild selbstverständlich; was damals als Vollendung schien, erwies sich später nur als Beginn. Uns scheint die Betrachtung aus beiden Richtungen berechtigt zu sein: beide zusammen geben erst ein vollständiges Bild. In diesem Sinne werden also in den erwähnten Werken zwei Phänomene untersucht:

1. Nach welchen Prinzipien hat Bartók – im Zeitraum vor der Bekanntschaft mit der eigentlichen Volksmusik – mit den vom Verbunkos-Jahrhundert ererbten Mitteln die selbständige und zeitgemäße ungarische Musik geschaffen?

2. Welche formalen und anderen Entwicklungsprinzipien, die auch für die späteren Zeitabschnitte Bartóks charakteristisch sind, verwirklichten sich bereits in den Kompositionen der frühen Periode?

Die erste Frage versuchen wir zu beantworten, indem wir jene Kategorien zu Hilfe nehmen, die Bartók – zur Abwägung der Wirkung von Volksmusik – in seinem

Aufsatz „Vom Einfluß der Bauernmusik auf die Musik unserer Zeit"[3] selbst aufgestellt hat. Den Ausdruck Bartóks „Bauernmelodie" stets durch den im weiteren Sinne angewandten Ausdruck „Verbunkos-Melodie" ersetzend, lautet unsere erste Kategorie folgendermaßen: „Wie kann der Einfluß der Verbunkos-Musik in der höheren Kunstmusik in Erscheinung treten? Vor allem in der Weise, daß wir die Verbunkos-Melodie ohne jedwede Veränderung oder nur wenig variiert, mit einer Begleitung versehen und eventuell noch mit einem Vor- und Nachspiel einfassen." Dafür begegnen wir mehreren Beispielen in der sogenannten „romantischen" Stilperiode Bartóks bis etwa 1906. In die ersten beiden Reihen seiner epochemachenden Volksliedbearbeitungen (1906) hat er noch einige Melodien von bekannten Komponisten volkstümlicher Kunstlieder aufgenommen. Als Anfänger in der Folklore konnte er damals den Unterschied zwischen Volkslied und volkstümlichem Kunstlied noch nicht immer erkennen. Das interessanteste Beispiel für diese frühen Bearbeitungen volkstümlicher Kunstlieder durch Bartók ist die des Liedes Lekaszálták már a rétet („Abgemäht hat man die Heide")[4] von Ende 1904 oder Anfang 1905. Besonders beachtenswert ist hier der Taktwechsel $\frac{4}{8} - \frac{5}{8} - \frac{3}{8}$: er weist darauf hin, daß Bartók diesem Lied in mündlicher Überlieferung begegnet ist, ferner, daß er die Festlegung der Rubato-Vortragsweise in ausgeschriebenen Rhythmuswerten schon zu dieser Zeit für wichtig hielt. Auf diese Kunstlied-Bearbeitung paßt Bartóks eigene Definition nur allzu sehr – eigentlich besser als auf manche Bearbeitung eines „echten" Volksliedes ein bis zwei Jahre später: „Immer ist es aber sehr wichtig, daß das Musikgewand, in welches wir die Melodie kleiden, sich von dem Charakter der Melodie, von den in der Melodie offen oder verhüllt enthaltenen musikalischen Eigentümlichkeiten ableiten läßt, bzw. daß die Melodie und alles ‚Hinzugefügte' den Eindruck einer untrennbaren Einheit erwecken."[5]

Neben der Übernahme von Themen „ohne jedwede Veränderung" haben wir Beispiele auch für die „wenig variierten" Übernahmen: im langsamen Satz der I. Suite zitiert Bartók in extenso das Lied Kék nefelejcs („Blaues Vergißmeinnicht") von Lajos Serly im ¾ Takt. Diese Zitat-Technik ist ebenfalls eine romantisch-ungarische Erbschaft. Sowohl Liszt wie Erkel und Mosonyi gebrauchten in ihren Werken häufig Motive, die, durch ihre allgemein bekannte textliche und musikalische Substanz, für das ungarische Publikum irgendeine symbolische, „übermusikalische" Bedeutung hatten. Dieses Verfahren erinnert an das der instrumentalen Bearbeitungen von Chorälen oder Choral-Motiven des Barock. Das damalige deutsche Publikum war mit dem Symbol-System der Choräle ebenfalls vertraut, auch ohne Unterstützung verbaler Elemente. Als Beispiel für dieses Verfahren unter den romantischen Kompositionen Bartóks wird auf die I. Suite hingewiesen. Ihr Kopfthema ist aus einem allgemein bekannten patriotischen Lied des 19. Jahrhunderts abzuleiten. Das patriotische Lied von Kálmán Simonffy Árpád apánk, ne féltsd ősi nemzeted („Vater Árpád, sei um die uralte Nation nicht besorgt"), hatte, als es als Kopfthema im Orchesterwerk Bartóks erklang, für das damalige ungarische Publikum eine ganz konkrete Bedeutung, auch ohne schriftliches Programm.

Solche – offene oder verborgene – Hinweise sind in zahlreichen Werken Bartóks bis zu seinem Lebensende nachweisbar,[6] auch wenn diese später nicht so ostentativ waren, wie die Zitate aus der symphonischen Dichtung „Kossuth" und der I. Suite. Mit dem vorigen Beispiel erreichten wir die nächste Stufe in der Übernahme des Verbunkos. Sie ist dann gegeben, wenn die übernommene Melodie – nach Bartóks Worten – „nur die Rolle des Mottos" spielt; „was darum und darunter gesetzt wird, ist die Hauptsache".[7] Einem solchen „Motto", einer „fixen Idee" begegnen wir in dem Klavierquintett. Die viersätzige Komposition – sie kann, wie die I. Suite, auch als ein auf wenige Grundgedanken aufgebautes monumentales Variationswerk gedeutet werden, welches im Rahmen der klassischen Sonate erscheint – ist mit Fäden offensichtlicher und verborgener thematischer Aszendenzen durchwoben. Die Verwirklichung des Variationsprinzips wollen wir an einem einzigen Beispielkomplex veranschaulichen. In der langsamen Einleitung des Eröffnungssatzes weist eine empfindsame, ausdrucksvolle Melodie auf Brahms hin:

Die vorige Melodie ist ein gut erkennbares Modell für das Trio-Thema im Scherzo:

Ein weiterer Verwandter davon ist das Hauptthema des Scherzos:

Das Thema im langsamen Satz strahlt eine verträumt-gramversunkene Stimmung aus:

Im Finale erscheint das Thema als Csárdás:

Eine spätere Variante, ebenfalls aus dem Finale, „entlarvt" sich selbst und die sämtlichen Varianten:

Hier stellt sich heraus, daß das Modell für unser Thema mit vielen Gesichtern das volkstümliche Kunstlied Asszony, asszony, az akarok lenni („Eine Frau, eine Frau will ich werden") war:

Diese „Entlarvung" – ein Prozeß, an dessen Ende sich herausstellt, daß ein zunächst mit „westlichem Äußeren" erscheinendes Thema dem Wesen nach ein „verkleideter Csárdás" sei, ist wieder von der ungarischen Romantik geerbt.

Setzen wir nun, mit Hilfe der Kategorien des zitierten Aufsatzes von Bartók[8] die Aufzählung jener Mittel fort, mit deren Hilfe sich die Verbunkos-Thematik offenbart, wobei wir das Wort Bartóks „Bauernmelodie" wieder durch „Verbunkos-Melodie" ersetzen. Demnach lautet die zweite Kategorie: „Der Komponist verwendet keine echte Verbunkos-Melodie, erfindet anstatt dessen selbst irgendeine Verbunkos-Melodie-Imitation. Zwischen dieser und der oben beschriebenen Methode besteht im Grunde kein wesentlicher Unterschied." Zu dieser Gruppe zählen auch die im Jahre 1902 komponierten „Vier Lieder". Schon Kodály hat auf das Janus-Gesicht des Werkes hingewiesen: „Die Sprache, die Phraseologie ist noch die Szentirmays"[9] (Elemér Szentirmay war einer der populärsten Csárdás- und Liedkomponisten um die Jahrhundertwende). Es gibt aber auch solche Elemente, die bereits für die späteren Kompositionen Bartóks charakteristisch sind, so die Modulation in Tritonus-Richtung im dritten Lied. Das erste Lied desselben Zyklus hingegen trägt den Keim eines Verbunkos-Stimmungsliedes in sich, das einen ganzen symphonischen Satz erfüllen könnte; daraus hat Bartók folgerichtig im Jahre 1905 den dritten Satz der II. Suite entwickelt, welcher dann später, 1941, in der Fassung für zwei Klaviere, op. 4 a, den Titel „Scena della Puszta" erhielt, sozusagen als Erinnerung an die jugendlich-romantische schöpferische Periode des Komponisten. Weitere Beispiele für die „vom Komponisten erfundenen Verbunkos-Melodie-Imitationen" sind in der symphonischen Dichtung Kossuth, in der Rhapsodie op. 1 sowie in der I. und II. Suite in großer Zahl zu finden.

Die dritte Kategorie tritt – wiederum auf Bartók bezogen – dann ein, wenn der Komponist „zwar weder Verbunkos-Melodien noch ihre Imitationen verarbeitet, seiner Musik jedoch dieselbe Atmosphäre entströmt wie der Verbunkos-Musik. In diesem Fall muß gesagt werden, daß der Komponist die Musiksprache des Verbunkos erlernt hat und sie so vollkommen beherrscht, wie ein Dichter seine Muttersprache." In diese Kategorie passen die reifsten Werke der Periode: die symphonische Dichtung Kossuth, die Rhapsodie und – zum Teil – die beiden Orchestersuiten. Bartók versteht also nicht nur Verbunkos-Themen zu konzipieren, sondern auch auf ganze Sätze sich erstreckende, breit angelegte Stimmungsbilder in Verbunkos-Atmosphäre zu schaffen: Musik, in der sein von der ungarischen Nationalromantik ererbtes Doppelvermächtnis, d. h. das historische Bewußtsein und das vorgegebene Musikmaterial gleichermaßen in Erscheinung treten.

Auf Bartók hat somit – also noch vor seiner Bekanntschaft mit dem Volkslied – eine andersgeartete ungarische Gemeinschaftstradition eingewirkt, nach den gleichen Prinzipien und Kategorien wie später das Volkslied. Es ist eine andere Frage, daß die Auswirkungen dieser beiden Traditionen in ästhetischer Hinsicht notgedrungen das Zustandekommen verschiedener Ergebnisse fördern mußten.

Wir haben gesehen, auf welche Weise das national-romantische Erbe sich in den Werken Bartóks bis 1905 offenbarte. Welche formenden Prinzipien meldeten sich nun in der „Verbunkos-Periode" Bartóks an, die auch in den späteren schöpferischen Perioden eine wichtige Rolle erfüllten? Eines davon ist die von Liszt inspirierte Dramaturgie, die Formung gegensätzlicher Charaktere, die dem gleichen Motiv entspringen und somit die Gestaltung eines großangelegten Werkes in mehreren Sätzen als eine einzige monumentale Form ermöglichten – zum Beispiel als Sonatenkonstruktion. Dieses Prinzip verwirklichte er am vollkommensten in der I. Suite. Die Themen des eröffnenden Satzes kehren in den weiteren vier Sätzen, in Originalgestalt oder variiert, wieder. Das Finale hingegen faßt die Themen der vorangegangenen Sätze zusammen. Dieses Verfahren verleiht dem ersten Satz Expositions-Charakter und dem Finale Reprisen-Charakter innerhalb des ganzen Werkes, während die drei Mittelsätze Variations- oder Durchführungscharakter tragen. Dieselbe I. Suite ist Bartóks erste „Brückenform"-Komposition in fünf Sätzen. Um den zentralen Scherzo-Satz gruppieren sich zwei langsame innere Sätze und zwei schnelle Außensätze, wobei die einzelnen Satz-Paare miteinander auch motivische Beziehungen aufweisen.[10] Eine Brückenform innerhalb eines Satzes zeigt sich zum erstenmal im reifsten Teil des Klavierquintetts, im Scherzo. Bartóks erster Versuch mit der Ganzton-Skala kann im langsamen Satz des Klavierquintetts betrachtet werden. Beispiele für Scordatura und „Verstimmung" bzw. „Entlarvung" des Themas liefert uns dasselbe Quintett. Im langsamen Satz der I. Suite begegnet man einer Krebs-Umkehrung, ein Duo für zwei Violinen aus dem Jahre 1902 – ein kurzer Satz – wurde als Spiegel-Krebs-Umkehrung konzipiert.[11] Fugen- bzw. Fugato-Prinzip als Entwicklungsmittel zeigt sich beispielsweise im Finale des Klavierquintetts und im Scherzo der II. Suite. Die barocke Pulsierung der Themen, die für manche späteren Kompositionen vom II. Klavierkonzert und dem Divertimento bis zum zweiten Satz des Konzerts für Orchester so bezeichnend ist, tritt zum erstenmal ebenfalls im Scherzo der II. Suite auf. Der Trauermarsch als Satz-Typ kann bei Bartók zum erstenmal in der symphonischen Dichtung „Kossuth" festgestellt werden. Auch die ausdrucksvollen Aktionsthemen, die „agierenden Gesten", die „Charaktertänze" der späteren Tanzspiele, die grotesken Scherzi nehmen hier, in den Werken der romantischen Periode, zum erstenmal Gestalt an. Was Bartók also von der Vergangenheit erlernen konnte, das hat er erlernt. Was er an formenden Mitteln am Verbunkos-Material erproben konnte, das hat er erprobt. Sozusagen in dem Augenblick, als er aus dieser Quelle nichts Neues mehr schöpfen konnte, lernte Bartók die ungarische Volksmusik kennen, und diese Tatsache gab seiner Tätigkeit eine neue Richtung.

Als Bartók die inspirierende Quelle des Volksliedes entdeckte, fand er plötzlich, daß das Ungartum seiner bisherigen Werke oberflächlich und falsch war, daß auch er bisher nur umherirrte; er griff die ungarische Kunstmusik der Verbunkos-Periode in seinem Artikel „Über die ungarische Musik" aus dem Jahre 1911 mit dem Fanatismus eines Neophyten an. Er ging fast soweit, ihre Existenz zu bezweifeln: „Eine wertvolle und dabei von allem anderen sich unterscheidende, spezifisch ungarische Kunstmusik hatten wir nicht." Was vorhanden war, das waren die Werke „einiger fremder", „mehr oder minder dilettierender Musiker", und an diesen „kann ein Mensch mit gutem Geschmack kein Wohlgefallen finden".[12]

Nach dieser kategorisch-prinzipiellen Ablehnung ist es nun evident, daß Spuren der Verbunkos-Musik in den Kompositionen Bartóks für eine lange Zeit sehr selten sind und nur spärlich auftreten. Erscheinen sie doch, dann eher als Symbole negativer Charaktereigenschaften – wie zum Beispiel in einem Tanz der eitlen Prinzessin im Ballett „Der holzgeschnitzte Prinz". Hinter der chromatischen Pendel-Bewegung dieses Themas spürt man die Anregung eines populären, auch von Brahms bearbeiteten Tanzes aus dem 19. Jahrhundert: die des Lujza-Csárdás von Ignác Frank. Im allgemeinen kann aber gesagt werden, daß die Verbunkos-Csárdás-Thematik die schöpferische Fantasie Bartóks, etwa von der II. Suite bis zu den beiden Rhapsodien für Violine und Klavier bzw. Orchester im wesentlichen nicht beeinflußt hat.

Den Weg, auf dem Bartók zum Verbunkos zurückfand – auf einem viel höheren Niveau als bei der ersten Begegnung in den Jugendjahren – haben ihm einige unmittelbare musikalische Erlebnisse eröffnet. Das eine war die erneute intensive Beschäftigung mit der ungarischen und rumänischen instrumentalen Volksmusik. Der Abschluß des Manuskriptes seines Buches „A magyar népdal" (Das ungarische Volkslied; das Vorwort ist datiert vom Oktober 1921, erschienen 1924), die Vorbereitung der Veröffentlichung des Buches „Volksmusik der Rumänen von Maramures" (2. Fassung des Manuskriptes abgeschlossen 1918; erschienen 1923,) fiel zeitlich mit der Entstehung der beiden Sonaten für Violine und Klavier (I.: Oktober–Dezember 1921; II.: Juli–November 1922) zusammen. Der Beginn der systematisierend-zusammenfassenden neuen Phase der wissenschaftlichen Tätigkeit Bartóks lief also parallel mit der Endphase bestimmter Experimente innerhalb der kompositorischen Tätigkeit. Die Abkehr von jener Periode, als er sich „einer Art ‚Zwölftonmusik' näherte",[13] und das Suchen nach neuen Mitteln, die „eine Fundierung auf der Musik älterer Zeiten"[14] ermöglichten, führten ihn zum Verbunkos zurück. Noch ein Umstand hat dieses Zurückfinden gefördert: das Kennenlernen der Verbunkos-Charakter tragenden Kompositionen von Zoltán Kodály. Kodály war es nämlich ohne Zweifel, der den Verbunkos für die Musik des 20. Jahrhunderts, beginnend mit der Uraufführung des Singspiels „Háry János" (1926), entdeckte. Kodály war es auch, der Bartók, dem in seinen jungen Jahren nur mehr die späten, verblühten Produkte des Verbunkos bekannt waren, dessen wertvollste alte Schichten vorwies. Bei seiner wissenschaftlichen Genauigkeit entging Bartók diese Tatsache nicht. Der Auftakt vor der Wiederkehr des Kopfthemas im ersten Satz seiner ersten neuen Verbunkos-Komposition, in der Rhapsodie Nr. 1, ist ein unmißverständlicher Hinweis auf das charakteristische Anfangsmoment des Intermezzo in Kodálys „Háry János".

Seine Forschungen auf dem Gebiet der ungarischen und rumänischen instrumentalen Folklore erschlossen Bartók die volksmusikalischen Wurzeln der alten Verbunkos-Tradition; und die wichtigste Folgerung, der er um 1930 große Bedeutung beimaß, war die, daß die Urquelle des Verbunkos von der Kultur mehrerer Völker, mehrerer Nationen genährt wird und daß man aus dieser uralten „reinen Quelle" mit demselben Recht schöpfen konnte wie aus der Quelle der Volksmusik. Anschließend komponierte Bartók seine zur Gänze oder zum Teil vom Verbunkos angeregten Werke: die beiden Rhapsodien nach rumänischen, ruthenischen und ungarischen Themen im Jahre 1928, das aus den Sätzen Verbunkos, Pihenő („Rast") und Sebes („Schnell") bestehende Trio für Violine, Klarinette und Klavier „Kontraste" im Jahre 1938. Dieses Werk ist unter anderem die Apotheose des stilisierten Klanges der Zigeunerkapellen, wobei das obligatorische Zymbal durch das Klavier ersetzt wird. Der erste Satz des großen Violinkonzerts – 1937/38 – trug ursprünglich die Bezeichnung „Tempo di Verbunkos". Hier erreichte Bartók den höchsten Grad der Stilisierung des Verbunkos-Charakters.

Im zweiten Satz des Divertimento – und was für eine „Vergnügungs-Musik" war es in der bedrohenden Atmosphäre des nahenden Krieges! – erscheint plötzlich ein Trauermarsch im Verbunkos-Stil. Auch die „ungarische Tonleiter" mit der übermäßigen Sekunde fehlt nicht. Das vom Verbunkos-Jahrhundert geerbte historische Bewußtsein scheint hier, auf einer höheren Ebene, gleichfalls wiederzukehren. Es ist aber keine „literarische Reflexion" mehr, wie die Trauermusik der Kossuth-Symphonie war: es ist Ausdruck der unaufhaltbaren, an eigenem Leib empfundenen Katastrophe. Und es handelt sich nicht mehr um den Untergang einer einzigen Nation: diese Vision ist Trauer für die Völker, für die Nationen ganz Europas.

Der Trauer folgt aber im Divertimento – wie auch in den meisten weiteren Kompositionen Bartóks – ein Tanz-Finale, gleichsam als Antwort auf die tragische Frage des langsamen Satzes. Das Hauptthema des dritten Satzes im Divertimento (Notenbeispiel 8 a) gehört zur selben Melodiegruppe, wie das „Friss" Csárdás-Thema aus dem I. Akt der Oper „Bánk bán" von Ferenc Erkel (8 b). Dasselbe Motiv taucht im 3. Klavierkonzert Bartóks ebenfalls auf (8 c). Eine weitere Variante des Themas ist im ersten Satz der Suite op. 18 von Leó Weiner aus dem Jahre 1931 zu erkennen (8 d). Auch Johannes Brahms hat das Thema in seinem zehnten Ungarischen Tanz verwendet (8 e). Hier hat er den Hochzeitstanz aus Tolna von dem Csárdás-Komponisten József Riszner bearbeitet. Und damit gelangen wir wieder zu Bartók: zu einem Tanzlied, das er 1912 in drei Varianten sammelte und als einen der alten ungarischen Tänze in seine „Fünfzehn ungarische Bauernlieder für Klavier" als Nr. 9 aufnahm (8 f):

Die angeführten Beispiele beweisen, daß die drei Kategorien der Verwendung traditioneller Themen – die Übernahme, die Imitation und die hochgradige Stilisierung ohne thematische Übernahme – in Bartóks späten, zum Teil vom Verbunkos angeregten Werken ebenfalls nachweisbar ist.

Bartók äußerte einmal gegenüber Bence Szabolcsi, seine Entwicklung gleiche einer Spirale: auf immer höherem Niveau, immer vollkommener die gleichen zentralen Probleme zu lösen dies empfand er als Leitsatz seiner Entwicklung.[15] Dieser Vergleich scheint seine Beziehung zu jener nicht oder nicht unmittelbar folkloristischen Schicht der ungarischen Musiktraditionen, die wir zusammenfassend Verbunkos nennen, ebenfalls recht wohl zu charakterisieren. Um die ungarische Gemeinschafts-Tradition seiner Jugend wieder zu entdecken, mußte er zuerst notwendigerweise ihre reinsten Quellen erforschen. Mit dem Können und Wissen eines reifen, weitblickenden Meisters konnte er dann das ererbte und selbst erforschte Musikmaterial und das damit verbundene historische Bewußtsein auf eine früher nie und von niemandem geahnte Höhe bringen: zur Synthese von Tradition und Zeitgemäßheit, von nationalem Ausgangspunkt und übernationaler Erfüllung.

Die Verwendung der Titel „Rhapsodie" und „Verbunkos" hatte noch demonstrativen Charakter, als Hinweise auf Liszt und die Verbundenheit mit der wiedergefundenen Tradition. Später war eine solche Demonstration nicht mehr notwendig: Bartók hat die Verbunkos-Elemente in seine eigenen Ausdrucksmittel vollkommen integriert. Sie wurden zu organischen Bestandteilen einer einheitlichen und individuellen, „übernationalen" Musiksprache.

Anmerkungen

1 Zur Entstehungsgeschichte des Verbunkos und dessen Bedeutung für den jungen Bartók: Ferenc Bónis, Bartók und der Verbunkos, in: International Musicological Conference in Commemoration of Béla Bartók 1971, hrsg. von József Ujfalussy und János Breuer, Budapest 1972, S. 145–153; auch in: Österreichische Musikzeitschrift 27, Wien 1972, S. 588–595.
2 Zoltán Kodály, A folklorista Bartók (Bartók, der Folklorist) in dessen Visszatekintés (Rückblick) II, hrsg. von Ferenc Bónis, Budapest 1964, S. 451.
3 Der im Jahre 1920 konzipierte Aufsatz wurde aus dem Studienband Béla Bartók – Weg und Werk, Schriften und Briefe, hrsg. von Bence Szabolcsi, zitiert: Budapest 1957, S. 160–164.
4 Veröffentlicht in: Der junge Bartók I, hrsg. von Denijs Dille, Budapest-Mainz 1963.
5 Siehe in Anmerkung Nr. 3 angeführtem Aufsatz von Bartók, ebenda S. 161.
6 Siehe dazu: Ferenc Bónis, Quotations in Bartók's Music, Studia Musicologica, Tomus V, Budapest 1963, bzw. Zitate in Bartóks Musik, Österreichische Musikzeitschrift 21, Wien 1965.

7 Siehe Anmerkung Nr. 3, S. 161.
8 A. a. O., S. 163.
9 Szentirmaytól Bartókig (Von Szentirmay bis Bartók), Vortrag im Jahre 1955, in: Visszatekintés (Rückblick) II, Budapest 1964, S. 465.
10 Siehe die Analyse der I. Suite vom Autor des vorliegenden Referats im Begleitheft zur Hungaroton-Schallplatte im Rahmen der Bartók Schallplatten-Gesamtausgabe, LPX 11480.
11 Siehe das Faksimile des Autographs in: Ferenc Bónis, Béla Bartók, sein Leben in Bilddokumenten, Zürich 1981, S. 59.
12 Bartók válogatott írásai (Bartóks ausgewählte Schriften), hrsg. von András Szőllősy, Budapest 1956, S. 288.
13 Béla Bartók, Ungarische Volksmusik und neue ungarische Musik (1927 geschrieben). Zitiert aus Béla Bartók – Weg und Werk, Schriften und Briefe, Budapest 1957, S. 155.
14 Zitiert nach der ungarischen Erstveröffentlichung von László Somfai (Magyar Zene XVI, 1975/2, S. 115), aus: Ferenc Bónis, Zoltán Kodály – ein Meister der ungarischen Neoklassik, Österreichische Musikzeitschrift 35, Wien 1980, S. 129.
15 Bence Szabolcsi, Das Leben Béla Bartóks in: Béla Bartók – Weg und Werk, Schriften und Briefe, Budapest 1957, S. 45.

Rudolf M. Brandl

Die Schwebungs-Diaphonie – aus musikethnologischer und systematisch-musikwissenschaftlicher Sicht

Als 1909 Ludevik Kuba auf dem 3. Kongreß der Internationalen Musik-Gesellschaft in Wien ‚Einiges über das istro-dalmatinische Lied' und seine eigenartige Mehrstimmigkeit berichtete, wurde dies von den versammelten Fachkollegen unter dem Vorsitz von Hornbostels als Entdeckung eines musikalischen Artefakts zur Kenntnis genommen. Im Sinne der damals herrschenden Evolutionstheorie und Kulturkreislehre galt die eigenartige Skala, ihr geringer Umfang (meist eine Quart, höchstens eine Sext) und ihr dissonanter Zusammenklang als „archaische Heterophonie". In dieser Bedeutung kommt Lach (1913: S. 372–376) auf Kuba zu sprechen, wenn er in seinen ‚Studien zur Entwicklungsgeschichte der ornamentalen Melopöie' schreibt: „In melodischer Hinsicht besteht die Entwicklung im Fortschreiten von der Wiederholung eines und desselben Tones oder von der Beschränktheit auf ganz wenige Töne zu allmählich immer größerem Tonschatze, immer weiteren Intervallschritten und immer größerer Bewegungsfreiheit. . . Dann treten Spuren von Rhythmus und Intervallen auf, Spuren von halben und ganzen Tönen. Dann Lieder, die sich auf einen Tetrachord beschränken und deren Eigenart darin besteht, daß sie ihr Unisono hie und da in die Sekunde spalten usw. Man sieht, wie sich die von Kuba skizzierte Entwicklungsreihe mit der des von uns beobachteten Entwicklungsschemas völlig deckt; auch die Heterophonie (Spaltung in die Sekunde usw.) tritt bei ihm an der gleichen Stelle ein." (S. 372)
Nachdem Kuhač 1898 (S. 573 ff.) die Schwebungsdiaphonie in Bosnien entdeckt und als „aus allerältester slawischer Zeit" klassifiziert hatte, war es wiederum Lach, der bei Guriern und Mingreliern des Kaukasus einen ähnlichen Singstil vorfand, als er die Musik der russischen Kriegsgefangenen im Ersten Weltkrieg für die Österreichische Akademie der Wissenschaften phonographierte (1917: S. 25; 1928: S. 81 f.). Seine Bewertung deckte sich weitgehend mit der Guido Adlers in seiner Abhandlung ‚Über Heterophonie' 1909, wo er eine Parallele zwischen den Gesängen der Eingeborenen auf den Admiralitätsinseln vor Neuguinea und ‚de falso contrapuncto' in der ‚Practica Musica' des Garfurius 1497 zog, in der Totenlitaneien in fortschreitenden Sekund- und Quartklängen aus der Lombardei beschrieben wurden.
Als dann 1925 Vasil Stoin seine „Hypothèse sur l'origine Bulgare de la Diaphonie" veröffentlichte, in der die in Bulgarien praktizierte Schwebungsdiaphonie auf protobulgarische Wurzeln zurückgeführt wurde, die einstens mit Hilfe bulgarischer Söldner in die Lombardei gelangt wäre (wo sie dann Garfurius zum Ärgernis wurde), war die Grundlage für einen heftigen Streit über den Ursprung dieses Phänomens gegeben, der bis heute fortdauert.
Baud-Bovy entdeckte bei seinen Feldforschungen 1930 auf der ägäischen Insel Karpathos ebenfalls diphone, die instrumentale Mehrstimmigkeit imitierende Frauenlieder (1938 II: S. 231–236; S. 343 f. u. S. 251), die leider – wie meine eigenen Feldforschungen ergaben – inzwischen ausgestorben sind.
Eine rein vokale, sozusagen ‚klassische' Form aus dem Nordepiros beschrieb Baud-Bovy 1971, ohne in beiden Fällen historische Schlüsse zu ziehen oder diese Form mit Beispielen aus anderen Regionen zu vergleichen. Dies tat jedoch Spiros Peristeris

1958 und 1964, indem er die Schwebungsdiaphonie byzantischen Ursprungs erklärte. Da das Verbreitungsgebiet von Nordepirus nach Albanien hinüberreicht, war es nur natürlich, daß die Albaner – nachdem Doris und Erich Stockmann mit ihren Studien über die dortige Mehrstimmigkeit (1964/65) die skiptarische Volksmusikforschung auf eine wissenschaftliche Grundlage stellten (die in Albanien tatsächlich identisch mit der griechischen ist, wie eigene Feldforschungen bestätigen) – den thrako-illyrischen Ursprung dieser Musizierform proklamierten. Die Aromunen (auch als Vlachen in Makedonien bekannt) wollten nicht zurückstehen und forderten ihrerseits den Primat.

Gerald F. Messner, der in Papua-Niu-Gini 1978 ähnliche Formen wie in Bulgarien feststellte (1976), führt als weitere Regionen noch Litauen, Afghanistan (d. h. die Provinz Nuristan), Nepal und Indonesien an. Über die Ähnlichkeit der balkanischen Diaphonie mit Beispielen aus Flores hatte schon 1960 Jaap Kunst eine Abhandlung geschrieben, die diese weit auseinanderliegenden Fundstellen mit der ,pontischen Wanderung', einer Migrationstheorie v. Heine-Geldern, zu erklären versuchte. Diese Theorie, die Messner in seiner Dissertation wieder aufgriff, ist aber von der Ethnohistorie längst widerlegt worden.

Den Standpunkt eines protoslawischen Ursprungs vertritt in Jugoslawien Cvetko Rihtman, der sich große Verdienste um die Aufarbeitung dieser Formen in Bosnien, der Hercegowina, Crna Gora und Serbien erworben hat (1951, 1966, 1974 u. a.). Ebenfalls auf protoslawische Wurzeln führt Viktor Belaiev 1956 in „Early Russian Polyphony" die russischen Varianten zurück. Die mitteleuropäische Musikforschung, vertreten durch Marius Schneider (1934), Walter Wiora (1955), Doris und Erich Stockmann (1964), Ernst Emsheimer (1964), Jaap Kunst (1960), Baud-Bovy (1971), Birthe Traerup (1972), Gerald F. Messner (1976) und Wolf Dietrich (1978) hat in ihren älteren Werken eher den Standpunkt eines ungeklärten Ursprungs mit anschließender Migration vertreten, in den jüngsten Publikationen wird nur phänomenologisch-beschreibend auf diesen Streit reagiert. Wiora wertet z. B. die Schwebungsdiaphonie als polyphone Sonderform, Marius Schneider leitet sie von den Bordunformen her. Die in der Bretagne entdeckten diaphonen Frauenlieder wurden von den Franzosen noch nicht publiziert. Ahrens stellte ähnliche Formen bei graekophonen Minoritäten 1976 in Italien fest. Fassen wir die historischen Hypothesen zusammen:

Die Schwebungsdiaphonie wurde kurz nach ihrer Entdeckung auf Grund rein phänomenologischer Kriterien (geringer Tonumfang, dissonante Klangstruktur) als archaische Heterophonie eingestuft. Letztere wurde – im Sinne eines Absolutheitsanspruchs europäischer Normen der musikalischen Ästhetik – im eigentlichen Wortsinn als „fremdklingend", bzw. als „Zufallsklang" angesehen oder einer Entwicklungsstufe der Menschheit zugeordnet, „die die Konsonanz noch nicht entdeckt hatte". Eigentlich historische Quellensequenzen, die die behauptete Konstanz dieses Musikstils über Jahrhunderte oder noch länger hinweg, oder ihre Wanderung über riesige geographische Entfernungen hin, erwiesen hätten, wurden – mit Ausnahme der eher vagen Beschreibung des ,falschen Kontrapunkts' bei Garfurius – entweder gar nicht gesucht, oder bis heute nicht entdeckt. Da dieser Musikstil unseren auf funktionelle Harmonik trainierten Ohren „häßlich und unästhetisch" erscheint, wurde er lange Zeit auch nicht gefördert. Erst als nationale Interessen die Nützlichkeit solcher Artefakte für ihr politisches Image erkannten, wurden Forschung und Musikpflege intensiviert, wie Albanien und Bulgarien bezeugen, die mit Hilfe solcher angeblicher Urelemente ihre kulturelle Autonomie gegenüber einer übermächtigen slawisch-griechischen Tradition betonen.

Man möge dies nicht mißverstehen! Die Legitimität einer historischen Fragestellung soll ebensowenig bestritten werden, wie das mehr oder weniger hohe Alter der Schwebungsdiaphonie. Es wäre äußerst verdienstvoll, würden in den jeweiligen Ländern die historischen Quellen und Berichte aufgearbeitet werden, um den Nachweis eines hohen Alters zu erbringen. Denn dieser steht noch aus.

Ein zweiter Punkt der Kritik wäre in semantischer Hinsicht anzumerken: die o. a. Phänomene dürfen nicht nur durch einen Analogieschluß von der europäischen Musikgeschichte her, die ‚Vorstruktur des musikalischen Denkens‘, d. h. die kulturimmanenten Parameter des Hörens betreffend, interpretiert werden. Erst durch den Vergleich der kognitiven Systeme jeder einzelnen Ethnie ist eine Gleichsetzung von musikalischen Ereignissen zulässig, die bloß unseren europäischen Ohren gleichartig erscheint. Ungeachtet der historischen Probleme, können wir jedoch folgende Prämisse formulieren: Das Phänomen der Schwebungsdiaphonie, d. h. eines Systems mehrstimmiger Musizierpraxis, das unseren abendländischen, durch den Begriff der Konsonanz geprägten Theorien scheinbar diametral entgegensteht, findet sich in verschiedenen Gebieten des Balkans, in der Bretagne, in Süditalien, im europäischen Rußland, in Nepal und Afghanistan (Nuristan), in Indonesien, Neuguinea, Äthiopien und an der Elfenbeinküste. Diese Verbreitung läßt den Schluß zu, daß die psychoakustischen Grundlagen nicht auf eine einzelne „abnorme und unnatürliche Sackgasse der musikalischen Entwicklung" zurückzuführen sind, sondern allgemein menschlichen, d. h. universalen Grundlagen des Hörens entsprechen müssen.

Wie man an Klangbeispielen hören kann, weist diese Musizierpraxis zwar eine gewisse Gemeinsamkeit vor allem im Bereich der Zusammenklänge auf, es lassen sich jedoch immerhin auch Unterschiede bemerken, die eine regionale Differenzierung zweifelsfrei ermöglichen. Zu dieser Frage hat Messner einen kleinen Test durchgeführt, indem er Musikern aus Papua-Niu-Gini Beispiele bulgarischer Diaphonie vorführte und den Bulgaren Beispiele aus Neu-Guinea. In beiden Fällen erhielt er dieselbe Bewertung: Die Aufnahme müßte aus dem Nachbardorf stammen, man wüßte ja, daß diese nicht ordentlich singen könnten, der Text sei ja völlig unverständlich. Dieser anekdotische Vergleich ist – vom Lokalpatriotismus abgesehen – insofern nicht uninteressant, weil er a) die ganzheitliche Ähnlichkeit akzeptiert, und b) auf die Wichtigkeit der Textverständlichkeit hinweist. Letztere bezieht sich aber in allen Beispielen auf die solistische Einleitung, da auch einheimische Hörer im Ensembleklang keinen Text verstehen können.

Beginnen wir mit dem Vergleich der kulturimmanenten Hörstruktur in Bulgarien, da dort durch die einheimische Forschung zahlreiche Publikationen vorliegen (Abraševa 1968, Džudžeff 1970, Kacárova-Koukoudova 1962, Kačulev 1969, Nikolai Kaufmann 1967, 1968, 1970) und Gerald Florian Messner 1976 die bisher genaueste Studie über „Die Schwebungsdiaphonie in Bistrica" angefertigt hat.

Messner hat nicht nur die Volksterminologie, Interviews und Beobachtungen zur Aufführungspraxis und zum historisch-sozialen Kontext analysiert, sondern auch die Transkription der Stimmparts und eine Bewertung des klanglichen Gesamtbildes mit Hilfe des Sonagraphen durchgeführt. Der Sonagraph ist für Untersuchungen der Klangfarbe und des melo-rhythmischen Verlaufs ein brauchbares Werkzeug, da er alle akustischen Parameter, Tonhöhe, Klangfarbe, Intensität und Dauer, auf einem

Papierstreifen notiert. Die Arbeit mit dem Gerät ist allerdings zeitaufwendig, da der Sonagraph nur 5-Sekunden-Abschnitte verarbeitet.[1]

Messner unterscheidet zwischen Liedern mit zwei und drei Parts. Bei unseren Untersuchungen werden wir genau zu trennen haben zwischen den Begriffen ‚Part' und ‚Stimme', analog der prä- und deskriptiven Notation. Wir beziehen die Bezeichnung ‚Part' auf die Herstellung (Sender; nach Kuckertz 1970: ‚Realisation') der musikalischen Gestalt, ‚Stimme' auf die Wahrnehmung und die kognitive Verarbeitung durch den Hörer (Empfänger). Dies soll an zwei Beispielen aus der Barockmusik verdeutlicht werden: Eine ‚Sonata a tre (voci)' bezeichnet die dreistimmige kognitive Struktur, in unserer Definition also ‚Stimme', da – kognitiv – der Basso Continuo nicht als selbständige Stimme verstanden wird. Die Zahl der Parts ist dabei variabel, da der Continuo nicht mitgezählt wurde und in diverser Figuration von einem oder mehreren Instrumenten ausgeführt werden kann. Umgekehrt ist eine Solo-Violinsonate von Bach in moderner Aufführungspraxis ein ‚Part', der im kognitiven Verständnis bis zu vier ‚Stimmen' besitzt. Die chorische Besetzung eines Parts ändert dabei nicht die Zahl der Parts, wenn unisono oder in Oktaven musiziert wird.

Wie bereits Lach 1913 erkannte, kann man die Grundstruktur dieser Lieder als melodische Umspielung eines Zentraltones bezeichnen. Dieser Zentralton ist eine ‚Bordun-Stimme', d. h. sie wird permanent das ganze Stück hindurch von einem der Parts gesungen. Dies geschieht bei den zweistimmigen Liedern in der Form, daß abwechselnd einer der beiden Parts diesen Zentralton hält, der andere aber eine Stufe tiefer schreitet oder höherliegende Leiterstufen ausführt. Das bedeutet bei den zweistimmigen Liedern eine andere Gestalt der einzelnen Parts wie das, was als Stimmen gehört wird. Man hört eine ununterbrochene Bordunstimme und eine zweite, die diese kreuzt. Man singt oder spielt aber im Hauptpart nur bis zum Zentralton; im zweiten Part wird, wenn der Hauptpart den Zentralton erreicht, in eine Stufe darunter ausgewichen (Messner 1976: S. 51).

Graphisch sieht das folgendermaßen aus:

Bei den dreipartigen Liedern wird dasselbe Verfahren benutzt, nur wird der zentrale Bordunton zusätzlich von einem Chor gesungen (Messner 1976: S. 221 f.). Graphisch kann man das so darstellen:

Diese Kategorie von Liedern wird somit in drei Parts gesungen, aber in zwei Stimmen gehört.

Da die meisten Transkriptionen bulgarischer Mehrstimmigkeit den Höreindruck widerspiegeln, entsprechen sie nicht der Herstellung.

Diese bulgarische Struktur der Parts findet sich ebenfalls in Jugoslawien, genauer: ihre vokale Form. In der instrumentalen Musik, z. B. bei den dalmatinischen Dop-

pelflöten, ‚dvojnice‘, ist eine Pfeife Bordunpfeife, die andere spielt die Melodie. Hier deckt sich Part- und Stimmgefüge. Für den albanisch-griechischen Raum gilt dieses Gefüge ebenfalls nur bedingt. Die Transkriptionen, die Doris und Erich Stockmann vorgelegt haben, geben den Höreindruck wieder. Dasselbe gilt für den Kaukasus und das russische Material, für Papua-Niu-Gini liegen noch keine Analysen vor. Die Volksterminologie in Bistrica nennt den ersten Part ‚Oka, Vodi, Izvika oder Vika‘ (Messner 1976: S. 16), was soviel bedeutet wie: ‚sie ruft aus, sie schreit, sie führt an.‘ Dieser Part ist ebenso wie der dritte immer solistisch besetzt. Der zweite Part, der Chor-Bordun, wird ‚Buci pravo‘ (= gerader Brüller) genannt, der dritte, der zwischen Zentralton und der darunterliegenden Stufe wechselt, heißt ‚Buci krivo‘ (= schiefer Brüller). Die ‚Oka‘-Sängerin kann auch exklamationsartige Figuren einsetzen bzw. ‚tressene‘ (= kehltrillerartiges Beben), das bei Finalexklamationen einen jodelartigen Stimmüberschlag erreichen kann: ‚na visoko‘ oder ‚na acane‘ (= nach oben Singen: Messner 1976: S. 57 f.).
Die albanische Terminologie wird von Doris und Erich Stockmann (1964: S. 99 ff.) wie folgt angegeben: 1. Part: ‚ia merr‘ (= nimmt es) bzw. ‚ia thote‘ (= sagt es), 2. Solist (der dem ‚Buci krivo‘ in Bulgarien entspricht): ‚ia pret‘ (= schneidet es) oder ‚ia kthen‘ (= wendet es). Der Chorbordun wird entweder als ‚ia mban‘ (= hält es) oder mit dem aus dem Griechischen entlehnten Wort ‚Iso‘ (v. ‚ison‘, dem Neumenzeichen für einen wiederholten oder gehaltenen Ton) benannt. Diese Bezeichnungen decken sich inhaltlich mit den bulgarischen. Die griechisch-epirotischen Bezeichnungen sind ebenfalls ähnlich: der 1. Part wird ‚Partis’ bezeichnet (nach Peristeris 1958 abgeleitet von ‚perno‘ = nehmen), der Chorpart ‚Ison‘, bzw. seine Sänger ‚Isokrates‘. Für den zweiten Solopart gibt es zwei verschiedene Möglichkeiten:
1. den Yiristís, (= der zurückkommt), und
2. Klóstis (= die Umspinnung, das Umnähen: Peristeris 1958).
Eigene Feldforschungen 1977 im Grenzgebiet zu Albanien ergaben folgende nähere Bestimmung: der Part des Yiristís entspricht der bulgarischen Praxis des meist zweitönigen ‚Buci krivo‘ und wird ‚arvanitiko‘ (= d. i. ‚albanisch‘) bezeichnet. Der Klóstis-Part, der ad libitum mit dem Yiristís-Part austauschbar ist, besteht aus einem jodelartigen Triller, der glóssimo (= Kehlschlag) genannt wird. Die Herkunft dieses Parts wird mit ‚vláchiko“ angegeben, was sich sowohl auf die Aromunen bezieht, wie auch auf ‚hirtenmäßig‘, da die halbnomadischen Vlachi zu einem Synonym für Hirten wurden.
Die serbischen Namen der Parts der ‚iz vika‘-Lieder (d. h. ‚sehr lautes Singen‘; vgl. Radmila Petrovič 1963) sind gleichbedeutend. Ernst Emsheimer gibt die ‚glossimo‘-Technik auch für georgische Volkspolyphonie an, wo sie ‚krimandjuli‘ heißt (1967). Diese verblüffende Übereinstimmung in Struktur und Terminologie auf dem Balkan und im georgischen Raum legt eine gemeinsame Genese der diaphonen Tradition nahe, doch muß einschränkend festgehalten werden, daß alle Bezeichnungen Beschreibungen der Tätigkeit und der Aufgabe des jeweiligen Parts sind, die m. E. so assoziativ wirken, daß eine Polygenese durchaus vorstellbar ist.
Bei den außereuropäischen Beispielen fehlen volksterminologische Angaben. Über die Begriffe hinaus finden wir jedoch gemeinsame Züge der kompositorischen Anlage, die in ihrem Regelkanon einen auffallenden Gegensatz zu den Kompositionslehren unserer Tradition darstellt:
Unsere Mehrstimmigkeit bzw. Polyphonie ist auf Verteilung der einzelnen Parts in verschiedenen Registern (z. B. Sopran-Alt-Tenor-Baß) angelegt, um dem Hörer den

Nachvollzug des Stimmverlaufs zu erleichtern. Aus demselben Grund sollten Stimmkreuzungen möglichst vermieden werden oder unterliegen strengen Beschränkungen, um Verwechslungen oder andere Irrtümer zu unterbinden. Im strengen polyphonen Satz wird bei aller Rücksichtnahme auf vertikale Beziehungen ein selbständiges Nebeneinander angestrebt. Diese – zumindest theoretische – ‚Demokratie‘ der Stimmführung tendiert auch zu einer Balance der Lautstärke; d. h. über den Gesamtverlauf gesehen, wird gleiche Lautstärke jeder Stimme gefordert.

In allen diesen Punkten verstößt die Schwebungsdiaphonie gegen die Regeln unserer Polyphonie: Alle Parts liegen in derselben Oktave, d. h. im selben Register. Ja, der Gesamtumfang des Stimmgeflechts hat etwa den typischen Abstand, der zwischen zwei Stimmen unserer Polyphonie üblich ist: etwa eine halbe Oktave. Kreuzungen der Parts sind zwar in der bulgarischen Ausführung nicht häufig, wie Messner nachgewiesen hat, werden aber – als akustische Täuschung – dem Hörer suggeriert und sind v. a. in der albanisch-griechischen Klóstis-Form die Regel – wir erinnern uns an den Begriff des ‚Umspinnens‘. Die Lautstärke ist hierarchisch, d. h. abgestuft, und zwar in der Form, daß der Bordunpart der lauteste sein soll, der zweite Solopart und der Hauptpart sollen gemeinsam nur so laut sein, daß man sie deutlich hören, aber beide nicht voneinander unterscheiden kann. Mit Rücksicht auf die Hierarchie der Lautstärke gibt es vor jeder Aufführung lange Proben, wobei die Sänger ihre Plätze und Parts tauschen, bis ein ideales dynamisches Gefälle erreicht ist. Dies gilt für jedes Lied neu und so wechseln u. U. auch die Solisten. Der Bordunpart soll aus diesen Gründen idealerweise auch zwischen vier und sechs Sänger umfassen. Sind die Gesangsgruppen aus Männern und Frauen zusammengesetzt, sollen die Frauen eine möglichst dunkle, die Männer eher eine hellere Stimmfarbe haben, um ein Auseinanderfallen in verschiedene Register zu verhindern.

Dem Ideal des getrennten bzw. punktuellen Wahrnehmens der Stimmen dient auch die Aufstellung: unsere abendländische Polyphonie versucht durch eher auseinandergezogene Sitzordnung (siehe die Geschichte der Orchesteraufstellung) ein leichteres Trennen der Stimmen zu erreichen (d. h. bei homophoner Mehrstimmigkeit sucht man um des Verschmelzungseffekts willen die Nähe). Die Schwebungsdiaphonie stellt die Sänger möglichst eng in einem Halbkreis oder Kreis zueinander gewandt auf, um eine punktuelle Schallabstrahlung zu erreichen. Sowohl bei epirotischer, wie bei serbischer Diaphonie, die ich bei Gastarbeitern in Wien aufgenommen habe, ergab sich die gleiche Aufnahmeproblematik: Im Hinblick auf unser, dem stereophonen Klangbild verpflichtetes Hören und mit dem Hintergedanken auf die später durchzuführende Transkription stellte ich die Mikrophone zuerst so, daß die beiden Solisten rechts und links außen und der Bordunchor in der Mitte zu hören war. Dies stieß auf sofortigen Protest der Sänger beim Abhören der Aufnahme. Nachdem sie sich zuerst selbst die Schuld gegeben hatten und ihre Parts neu aufteilten bzw. sich umsetzten, erklärte ich ihnen, sie sollten nur ganz normal singen und ich würde die Mikrophone so lange umstellen, bis die von ihnen gewünschte Relation der Lautstärke erreicht wäre. Es zeigte sich nun, daß die Gewährsleute übereinstimmend ganz konkrete Vorstellungen und ein subtiles Empfinden für den Gesamtklang hatten, dem erst nach längerer Zeit entsprochen werden konnte. Im Nordepiros ergab sich das gleiche Spielchen, wobei am Ende die Sänger die monophone Wiedergabe der stereophonen vorzogen. Dieser Erfahrung entspricht ferner die Aussage der Serben und Griechen, die Messner unabhängig von mir auch in Bulgarien hörte, daß einer der Gründe für das Aussterben dieses Gesangstils die lange gemeinsame Zusammenarbeit der Gruppen sei, so daß bei Tod oder aus anderen Ursachen bedingtem Ausscheiden eines Mitgliedes die gesamte Gruppe funktionsuntüchtig würde und nicht mehr zusammen singen könne. Dies ähnelt etwa der gegenseitigen Anpassung der Mitglieder bei professionellen Streichquartetten.

Dieses feine Empfinden für die Dynamik überrascht insofern, als der Gesamtklang sehr laut ist und die Stimmgebung sehr gepreßt. Die gesamte Energie wird auf ein enges Frequenzband mit wenigen Partialtönen gelegt, die sonagraphische Untersuchung meiner Aufnahmen zeigte ein Spektrum von maximal 4000 Hz (mit Nagra IV S aufgenommen), bei Messner (mit Uher aufgenommen; – 1976: S. 207) gar nur 2000 Hz.

Dies war offensichtlich einer der Gründe, warum die ältere Musikethnologie eine ,primitive' und ,unentwickelte' Musikalität postulierte.

Ähnlich wichtig wie die Dynamik wird von den Sängern der Zusammenklang in harmonischer (wenn dieser Begriff hier nicht falsche Assoziationen weckt) Hinsicht genommen: Dabei fällt auf, daß dieses Moment im Bewußtsein der Sänger nicht von der Dynamik zu trennen ist. Doch dies deckt sich mit unserer musikpraktischen Erfahrung: Die Lautstärke der einzelnen Töne eines Akkords im Verhältnis zueinander spielt bei Chören, im Orchester oder im Streichquartett nicht nur für die Transparenz und die Homogenität, sondern auch für die Harmonik eine Rolle. Doch scheint m. E. bei der Diaphonie der Gesamtklang als voluminöse Ganzheit eine größere Rolle zu spielen als bei einem Streichquartett.

In der Diaphonie ist die maximale Rauhigkeit bei konstanter großer Lautstärke das Klangideal. Das bedeutet auch, daß nach der Einleitungsphase des Partis bzw. des Oka-Parts der volle Choreinsatz schlagartig beginnen soll und das Ende ebenfalls schlagartig abreißen muß. Wir haben also akustisch eine blockartige Struktur vor uns. Dieses ,Abreißen' am Ende wird häufig noch verstärkt durch Abschnappen oder ein glissandoartiges Abwärtsziehen der Stimme (Messner 1976: S. 207; Födermayr 1971: S. 44 ff.). Dementsprechend gibt es in dieser Musik auch keine Crescendo-Descrescendo-Bögen, wie sie häufig in unserer Tradition zur Steigerung der Wirkung eingesetzt werden.

In der totalen Organisation ist in der Schwebungsdiaphonie ebenfalls eine strenge Hierarchie verbindlich: Das tonale Zentrum, oder nach Messner der ,Zentralton', ist durchgehend vorhanden und dient Ausführenden wie Hörern als Bezugspunkt. Ihm in der Bedeutung am nächsten steht die Tonstufe unter dem Zentralton, bei Messner bildet sie mit dem Zentralton ein Intervall von durchschnittlich 165 Cent (1976: S. 227), also etwa einen ⅔-Ganzton. In Griechenland und Albanien handelt es sich um eine große Sekund bzw. Quint, wobei Zwischen- und Durchgangstöne vorkommen. Dabei sei an die anhemitonisch-pentatonische Leiter der Aromunen erinnert.

In Karpathos ist die tonale Struktur heute oft durch einen Wechselbordun im Intervall einer großen Sekunde A–G im Rahmen der Oktave D–D¹ charakterisiert, eine Entwicklung, die sich auch rezent auf einen ursprünglichen Zusammenklang D–G–A–D¹ zurückführen läßt, da 1. der Wechsel zwischen AD- und GD-Bordun ad libitum stattfindet und keinen funktionell tonalen Zusammenhang mit der Melodieführung besitzt; und 2. der Dreiklang D–G–A von der Lyra, einer dreisaitigen kleinen Kniegeige, häufig gespielt wird. Die Vokalparts überlappen sich manchmal ebenfalls zu einem dreischichtigen Akkord, wobei zwischen G und A gependelt wird, wie auch zwischen H oder B und C, bzw. D und E. Dieses tonale Gerüst, das der hierarchischen Struktur des modalen griechischen Tonsystems entspricht bzw.

dieses externalisiert, stellt einen Gerüstbordun (Brandl 1976) dar, der von Baud-Bovy mit der antiken Hýpate-Mèse und Nète bzw. Hýpate, Mèse, Paramèse und Nète verglichen wird. Die weiteren melodischen Stufen sind in Griechenland diatonisch, in Bulgarien (siehe Messner 1976: 227) enharmonisch, wobei als kleinste Intervalle der Materialleiter 25 Cent – man vergleiche das pythagoräische Komma mit 23,5 Cent – angegeben werden.

Wir können nun aus diesen Feststellungen folgenden Schluß ziehen: Die Führung der Parts und die Gesamtstruktur der Schwebungsdiaphonie ist in allen Fundstellen des Balkans gleich, die Skala wechselt je nach Region.

Da mir die Protokolle aus Papua-Niu-Gini und Indonesien nicht zur Verfügung stehen, und ich diesbezüglichen Untersuchungen Messners nicht vorgreifen will, möchte ich nur noch auf die parallelen Formen in Nuristan, einschließlich der kulturell mit ihnen verbundenen Kalash in Pakistan, nahe der afghanischen Grenze, zurückkommen:

In Nuristan hat die Musik eine tetrachordische Struktur, wobei die Führung der einzelnen Stimmen – es sind bis zu vier – in ähnlicher Weise erfolgt wie auf dem Balkan, allerdings sind die einzelnen Parts selbständiger und es kommt zu Zusammenklängen, die alle Töne des Tetrachords umfassen. Die Kalash (vgl. Brandl 1977) benutzen ein den Karpathern ähnliches Tongerüst, in dem zwei Oktav-Quinträume (D–A–D[1] sowie E–H–E[1]) derart ineinander geschoben werden, daß auch alle Zwischenstufen zwischen D–E und A–H erklingen. Dies erfolgt aber nicht blockartig und zu einer solistischen Melodie, sondern in Form langer gehaltener Töne mit trillerartigen Figuren, die durch eine langsame kreisförmige Bewegung der Sänger einen sich drehenden Raumklang ergeben, in dem die einzelnen Töne an- und abschwellend eintreten und wieder verschwinden. Hier steht ein dynamisches Prinzip im Vordergrund, die Kreisbewegung, die räumlich-akustisch dargestellt wird. Die Musik der Nuristani und Kalash weist somit zwar dieselben Grundelemente wie die Schwebungsdiaphonie des Balkans auf, nämlich: schwebende Klänge, deren tonale Struktur aus dem Hierarchie-Prinzip der jeweiligen Tonsysteme abgeleitet sind, sowie den jodelartigen Triller, doch fehlt das bordunale Prinzip, der harte Einsatz und das Abreißen des Klangblocks, die hierarchische Struktur der einzelnen Parts. Vom derzeitigen Erkenntnisstand her muß folglich betont werden, daß die afghanischen Formen andere kognitive Grundlagen aufweisen als die balkanischen.

Dies gilt auch für die afrikanischen Beispiele, wo der Schwebungscharakter der Zusammenklänge eher mit dem relativen Melodieduktus, der sich aus den Sprachtönen ergibt, und der Dynamisierung des Klanges, wie er für Afrika typisch und insbesondere für den Bereich der magischen Praxis, aus dem die untersuchte Aufnahme stammt, charakteristisch ist.

Bevor wir den musikethnologischen Befund abschließen, können wir feststellen, daß die Schwebungsdiaphonie auf dem Balkan weitgehend einem gemeinsamen Regelsystem der Komposition verpflichtet ist, mit den außereuropäischen Formen vermutlich aber nur das Moment der Schwebung als Prinzip des Zusammenklangs gemeinsam hat. Bevor wir uns den psychoakustischen Grundlagen dieses Prinzipes zuwenden, muß aber noch die ästhetische Frage geklärt werden: Wie hören bzw. wie bewerten Jugoslawen, Bulgaren, Albaner und Griechen dieses Klanggebilde? Sind es, wie in afrikanischer Musik, ‚magische‘ Vorstellungen, oder – wie gelegentlich argumentiert wurde – drückt diese Musik ‚die wilde Mentalität des Balkans und seine felsige Landschaft‘ aus? Ist dies etwa eine ‚Musik der Partisanen, Hajduken oder Klephten' aus der Zeit jahrhundertlangen Widerstands gegen die Türken?

Nichts von alledem läßt sich nachweisen: Die Motive der Liedtexte und ihre Verwendung reichen von Liebesliedern über Hochzeits-, Tafel-, religiöse Lieder bis zur Heldenballade, ohne daß wesentliche Unterschiede des klanglichen Habitus zu bemerken wären. Der einzige Hinweis ergibt sich aus dem jodelartigen Triller, der in Griechenland als ,hirtenartig' bezeichnet wurde. Dies könnte ein allgemeiner Hinweis auf die Benutzung des Jodelns als Verständigungsmittel sein, das Graf 1965 mittels akustischer Untersuchungen erklärte, die durch die ethnologischen Befunde bei zentralafrikanischen Pygmäen, bei den Hirten des afghanischen Berglandes und im Alpenraum bestätigt wurden. Im Zusammenhang mit der Diaphonie sei vermerkt, daß entsprechend der o. a. Konzentration der stimmlichen Energie auf einen engen Frequenzbereich, dies auch für den Jodler zutrifft und seine Verwendung in den diaphonen Formen funktionell akustisch entsprechend wäre. Es gibt jedoch Aussagen zu den ästhetischen Vorstellungen der Schwebungsdiaphonie, die um so verblüffender sind, weil sie übereinstimmend in allen Gebieten und von verschiedenen Forschern unabhängig voneinander dokumentiert wurden: Diese Musik soll klingen ,wie Glocken'!

Barbara Krader hörte diesen Ausdruck 1956 in Bosnien, wie sie mir freundlicherweise mitteilte, Radmila Petrović berichtete 1972 (S. 335), die Serben sprächen von ,kao zvonca' (= ,wie Glocken'), wenn sie ihren Gesang beschrieben, ich hörte ihn 1969 das erste Mal von meinen serbischen Gewährsleuten, Messner (1976: S. 20 f.) hörte ihn von seinen bulgarischen Gewährsfrauen und 1977 forderten die epirotischen Sänger bei meinen Feldforschungen: es soll klingen wie ,kampánes'. Die bisher übliche Erklärung dieser Assoziation war, daß man an die von den Hirten mit viel Liebe und Geduld zusammengestellten und abgestimmten Herdenglocken und Schellen dachte, wie sie bei Schaf- und Ziegenherden am Balkan überall zu finden sind. Gleichzeitig liebäugelte man mit dem ,magischen' Kontext dieser Instrumente. Dem widerspricht aber die griechische Sprache: sie verwendet für das Umfeld des deutsch-englischen Begriffs ,Glocke' bzw. ,bell' zwei verschiedene Wörter, die auch in den Dialekten scharf getrennt werden: ,kuduniá' und ,kampánes': ,kampánes' sind immer Kirchenglocken, ,kuduniá' heißen Herdenglocken, Schellen und Türklingeln.

Nun sind unsere Kirchenglocken klanglich keineswegs mit dem Eindruck der Schwebungsdiaphone zu vergleichen. Man flüchtete sich also in den kulturrelativistischen Standpunkt, daß die Zuordnung von Qualitäten wie ,Rauhigkeit', ,Dissonanz' usw. zu akustischen Erscheinungen eben kulturabhängig und nicht psychophysisch-anthropologische Universalien seien. Damit bleibt das Problem für die Musikethnologie unlösbar. Messner (1976: S. 53 u. S. 108) spiegelt das ganze Dilemma wider, wenn er einerseits den schwebenden Klang als ,glatt' bezeichnet erhielt und andererseits berichtet: „Das Dissonanz- und Konsonanzempfinden dieser Sänger entspricht unserem mitteleuropäischen". (S. 11).

An diesem Punkt unserer Überlegungen ergeben sich Konsequenzen für die Systematische Musikwissenschaft:

Es gibt drei Möglichkeiten:

1. Die Sänger und Musiker sind unmusikalisch oder tatsächlich auf einer Entwicklungsstufe stehengeblieben, die vor der Entwicklung des Konsonanz-Hörens liegt. Das wäre etwa der Standpunkt Lach's und seiner Zeitgenossen.

2. Konsonanz und Dissonanz sind in ihren Grundprinzipien kulturabhängige Phänomene, die nicht im Bereich der Wahrnehmungen liegen, sondern rein subjektiv-ästhetischen Qualitäten entsprechen. Dies ist der Standpunkt einiger Musikethnologen. Dann muß die Systematische Musikwissenschaft eine ihrer wichtigsten Erkenntnisse in den Bereich subjektiver Normen verlegen und kann für alle daraus resultierenden Schlüsse keinen Objektivitätsanspruch erheben. Alle diesbezüglichen Tests und Experimente hätten nur für mitteleuropäische Versuchspersonen Gültigkeit.

3. Die Systematische Musikwissenschaft nimmt die Herausforderung an und kann nachweisen, daß die von den Musikethnologen gezogenen Schlüsse falsch sind, oder daß ein Prämissenfehler vorliegt.

Es wird nun zu zeigen sein, daß letzteres tatsächlich der Fall ist. Wenn es gelingt, mit systematischen Mitteln, auf der Basis der Daten, die die Musikethnologie geliefert hat, nachzuweisen, daß die Schwebungsdiaphonie tatsächlich ‚wie Glocken‘ klingt, ist nicht nur der scheinbare Widerspruch aufgehoben, sondern gleichzeitig nachgewiesen, daß psychoakustische Probleme der Musikethnologie mit systematischen Mitteln gelöst werden können, und in der Folge – dies vorwegnehmend – neue Erkenntnisse für die Systematische Musikwissenschaft gewonnen werden könnten.

Resümmieren wir noch einmal den ‚akustischen Befund‘:

Wir haben eine klangliche Struktur vor uns, die von ihrer Anlage her auf eine punktuelle Schallquelle bezogen und von der Intention her monaural aufzufassen ist, deren Binnenstruktur durch maximale Rauhigkeit und Schwebungen (Intervall v. 80–165 Cent, d. h. 15–30 Hz bei Grundtönen unter 500 Hz) ebenso gekennzeichnet ist, wie durch die einander tatsächlich oder scheinbar kreuzenden Frequenzen, trillerartige Modulationen und eine geringe Breite des Frequenzbandes (die Grundtöne liegen in Bistrica innerhalb von 100 Hz, im sonstigen Bereich innerhalb einer Oktave, der gesamte Frequenzbereich ist durch 2000 Hz in Bistrica, 4000 Hz im Epiros charakterisiert). Besonders ausgeprägt sind bei Messner der 2. und 4. Partialton, im Epiros ist teils der 4.–7. Teilton (1380 Hz bis 3220 Hz) verstärkt, wobei der Bereich des 2. und 3. Teiltons äußerst schwach ist, oder umgekehrt: Das Frequenzband ist nur bis zum 3. Teilton deutlich erkennbar.

Wie sieht nun das Frequenzspektrum einer Glocke aus? Pfundner, der lange Zeit die Glockengießerei St. Stephan in Wien leitete, zeigte anläßlich einer Exkursion, daß mitteleuropäische Glocken auf ein hohes, harmonisches Frequenzspektrum hin gegossen werden. Aber auch unsere Glocken weisen nach dem Guß ein komplexes Partialtonspektrum auf. In einem langwierigen Arbeitsprozeß, der sehr viel Sachkenntnis und Erfahrung erfordert, werden alle quasi- oder unharmonischen Teiltöne herausgeschliffen. Im Endergebnis haben wir eine Glocke vor uns, die ein rein harmonisches Teiltonspektrum aufweist.

Als ich 1977 auf einer Feldforschung in Metzovon, einem aromunischen Ort, der für alte Tradition bekannt ist, im Epiros weilte, fiel mir das dortige Kirchengeläute auf. Es wies sowohl bei den einzelnen Glocken, wie innerhalb des ganzen Geläutes aus drei Glocken deutlich Schwebungen auf, die den Eindruck der Konsonanz verwischten. Leider konnte infolge ungünstiger Umstände keine Tonaufnahme gemacht werden. Als ich mich 1978 im Kloster Xenophontos auf dem Berg Athos zwecks Dokumentation der Osterliturgie aufhielt, stellte sich dasselbe Hörerlebnis ein. Sowohl die einzelnen, wie alle Glocken zusammen, ergaben deutliche Schwebungen. Die sonagraphische Analyse zeigt nun im Vergleich, daß offensichtlich bei byzantinisch-griechisch-orthodoxen Kirchenglocken die unharmonischen Teiltöne nicht herausgefiltert wurden, bzw. – durch die reiche Verzierung auf den Glocken – diese möglicherweise noch verstärkt werden. Das Frequenzspektrum reicht zwar, im Gegensatz zur Diaphonie, wesentlich weiter nach oben, doch sind, vor allem beim Ausschwingen zu sehen, die Schwebungen im Bereich bis zu 2500 Hz sehr stark, die Grundtöne, die im Bereich von 500 Hz liegen, schweben bis zum Schluß. Die Intervalle decken sich fast völlig mit denen der Aufnahmen in Ktismata, Nordepiros und weisen ca. 16 und 32 Schwebungen/sec., die Glocken von Xenophontos 18 bzw. 36 Schwebungen/sec. auf. Messner gibt für Bistrica 15–30 Schwebungen/sec. an. Diese Werte finden wir auch in Karpathos wieder.

Wir können also den musikethnologischen Daten, bzw. den Angaben der Gewährsleute trauen, wenn sie von ihrem Gesang sagen, er solle ‚wie Glocken' klingen – wie Kirchenglocken auf dem Balkan nämlich und nicht wie mitteleuropäische. Gleichzeitig bestätigt die Untersuchung mit Hilfe des Sonagraphen, daß die Gewährsleute ein feines Empfinden für diese Form des Zusammenklangs besitzen und ferner, daß die Schwebungen das eigentliche klangliche Ideal darstellen und erst sekundär abstrakt tonale Hierarchien, abgeleitet aus den modalen Skalen, externalisiert werden sollen.

Wir wollen uns damit jedoch nicht zufrieden geben. Eine Frage bleibt insbesondere noch zu beantworten: Warum bevorzugen diese Ethnien einen schwebenden, rauhen Klang und nicht, wie wir, einen verschmelzenden, konsonanten, obertonreichen? Diese Frage kann nicht völlig beantwortet werden, doch läßt sich ein Weg skizzieren, der dieses unserem diametral entgegenstehende Klangideal erklären könnte. Dazu müssen wir noch einmal etwas weiter ausholen.

„Das Gehör dient ja nicht nur der musikalischen Kunst, es hat in erster Linie eine große Bedeutung in unserem praktischen Leben" schreibt Heinrich Husmann (1953: S. 41). Graf (1968: S. 100) differenziert zwischen dem Hören von ‚Lokal- und Merkzeichen' der Umwelt (Uexküll), sprachlichem und musikalischem Hören (Graf 1970). Demgegenüber betont Wolf-Dieter Keidel: „Aber das Gehör ist im Unterschied zum Auge von Natur aus kein Raumsinnesorgan par excellence, sondern ein Zeitsinnesorgan, das zuerst der Sprachanalyse dient und damit im Dienst der Sprachkommunikation steht." (1974: S. 520). Die Hauptfunktion des Ohrs liegt aber auf keinen Fall beim musikalischen Hören, sondern bei der Schallortung. „Aufmerksamkeits-, Adaptations- und Verdeckungseinflüsse haben eine multidimensionale, multiparametrische Zuordnung zur Reizintensität ... Vom Schallereignis darf weder das Frequenzspektrum (wegen der Entfernungsempfindung) noch die relative Schallverspätung rechts-links (wegen der Richtungsempfindung) verlorengehen ... Die Leistungsfähigkeit der akustischen Schallortung, zur Richtungsbestimmung, ist erstaunlich. Sie wird als absolute Richtungshörschwelle (Raumschwelle des Ohres) in der Medianebene mit 1½ bis 3 Winkelgraden angegeben ... Daneben besteht eine deutliche Abhängigkeit von der Schallart. Komplexe Schalle mit steilen Druckflanken können besonders gut geortet werden. Daher kommt es, daß Töne im eingeschwungenen Zustand, besonders wenn sie Schallfrequenzen bis über etwa 800 Hz aufweisen, schlecht oder gar nicht lokalisiert werden können, insbesondere dann, wenn sie nur langsame und geringfügige Intensitätsschwankungen ausweisen." (Keidel 1974: S. 524 ff.)

Im biologischen Umwelthören, insbesondere dem Richtungshören, sind somit Frequenz und Intensität besonders wichtig. Beim sprachlichen Hören steht die Dauer und die Klangfarbe (der wir die Unterscheidung der einzelnen Sprachlaute verdanken), beim musikalischen Hören Dauer und Grundfrequenz, sowie deren Relation zur Klangfarbe im Vordergrund. „Dadurch, daß in der Musik die Klanggestalt nicht in erster Linie Träger eines ihr bis zu einem gewissen Grad willkürlich beigegebenen begrifflichen oder gedanklichen Inhalts, sondern vielmehr nach der Seite der Erlebnisse hin orientiert ist, erhält sie viel von der Unmittelbarkeit zurück, mit der die Schallereignisse im Umwelthören ausgestattet sind." (Graf 1970: S. 365).

Wir haben im Umweltschall also komplexe Strukturen vor uns, die mit Hilfe der Anpassung, vor allem der Aufmerksamkeitslenkung, in – von der Erfahrung geprägte – Metastrukturen zusammengefaßt werden. Dabei kann man eine Polarität zwischen harmonischen und geräuschhaften Strukturen postulieren. „Die musikalische Klangwelt bedient sich vornehmlich der im Umwelthören relativ seltenen Klänge (im physikalischen Sinne), die sich aus Teiltönen zusammensetzen, deren Abstand jeweils der Höhe des ersten Teiltones (=Grundtones) entspricht." (Graf 1975: S. 115).

Dies gilt insbesondere für die mitteleuropäische Musik und ihre Mehrstimmigkeit. Die Konsonanz ist nach Wellek für einen räumlichen Eindruck besonders verantwortlich: „Erlebnismäßig gedeutet liegen die Dinge so, daß, mit Hornbostelscher Terminologie zu sprechen, die Intervallfarbe bei bester Konsonanz sich weniger vordrängt und folglich die Breite mehr hervortreten läßt, mehr Raum läßt für den Raum: für das Bewußtwerden des Räumlichen. Die Dissonanz, das heißt grelle Intervallfarbe, scheint die Breite mehr zuzudecken als die Konsonanz, also die weiche milde Intervallfarbe. Man könnte eben deshalb von durchsichtiger Intervallfarbe der Konsonanzen sprechen. Andererseits lassen sich die Dinge auch dahin deuten, daß Konsonanzen weniger gegenständlich wirken als Dissonanzen und also in diesem Sinne raumhaft... Dementsprechend können Vielklänge, die in einer einzigen Oktave, in Sekunden zusammengedrängt werden, nicht einmal den Eindruck des Akkordlichen, geschweige den der Raumweite machen..." (Wellek 1963: S. 305 f.).

Im Bereich der Hörbahn ist vor allem der mittlere Kniehöcker für die Empfindung der Konsonanzen verantwortlich (Husmann 1953: S. 43). Nach Husmann sind die Konsonanzen, dank ihrer Periodizität in den Relationen ihrer Partialtöne, objektiv nachweisbar, werden aber auch, entsprechend der Nichtlinearität des Gehörs, beim Fehlen objektiver, durch subjektiv gebildete, sog. ‚Ohrobertöne' ersetzt (1953: S. 34). Zusammenfassend können wir sagen, daß konsonante Klänge die Empfindung der Raumbreite und -weite ermöglichen, die, durch seltenes Vorkommen in reiner Gestalt in der Umwelt, einen spezifisch musikalischen Raumeindruck bilden. Da die Schall-Lokalisierung in der Musik keine primäre Rolle spielt, kann dieser Raumeindruck mit spezifisch musikalisch-ästhetischen Inhalten besetzt werden.

Anders die Schwebungen: Sie sind, was ihren typischen Eindruck betrifft, subjektiver Natur und entstehen im Ohr (wie Husmann 1953: S. 30 nachgewiesen hat). Sie sind zwar oft untersucht worden, aber meist in ihrer musikalischen Auswirkung. Ihre kognitive Funktion beim Umwelthören ist nur ungenügend beschrieben (Chocholle und Leguix 1957; Hensel 1955; Wever 1929; Terhardt 1974: S. 201–213; Bekesy 1960; Leipp 1971; Dunker 1972; Reinecke 1964; Roederer 1973; Feldtkeller und Zwicker 1967; Plomb 1966). Foedermayr deutet ein wichtiges Moment – gerade im musikalischen Zusammenhang – in seinem Freiburger Referat der Gesellschaft für Musikforschung 1976 an: Er konnte in einem Experiment an einem indonesischen Gamelan-Stück (wir erinnern an die Diaphonie in Flores) bei dem er die strukturell wichtige, im Original schwebende Kernmelodie herausgefiltert und durch eine schwebungsfreie synthetische Tonfolge ersetzte, zeigen, daß bei Fehlen der Schwebungen ein Heraushören der Kernmelodie wesentlich erschwert wird. Die anderen Parts eines Gamelanorchesters schweben nämlich nicht. Wurde die Kernmelodie mit Schwebungen ausgezeichnet, hob sie sich plastisch von der übrigen Umgebung ab. Da Husmann betont, daß die Schwebungen subjektiver Natur sind, ergibt sich daraus mit einiger Wahrscheinlichkeit, daß die Schwebungen aufmerksamkeitserregend sind.

Dies bestätigen auch die Untersuchungen von Kurt Schügerl (1970: S. 222–226), der die phasenbedingten Intensitätsschwankungen der Schwebung auch als wichtig für die Klangfarbenempfindung nachwies, die ja im Bereich des Umwelthörens eine wichtige Rolle bei der Situationsbeurteilung spielt (siehe Graf 1968 und 1970).

Wirken die Konsonanzen (nach Wellek) großraumbildend, so haben wir bei den Schwebungen den entgegengesetzten Effekt: Sie erwecken die Empfindung eines prägnanten, aufmerksamkeitsheischenden dichten aber engen Raumes, der seiner Struktur entsprechend konkreter wirkt als der konsonante.

Dieser Eindruck scheint gezielt beabsichtigt zu sein, denn es werden neben der maximalen Rauhigkeit, die durch Lage und kritische Bandbreite (Plomp 1970) der beteiligten Frequenzen erreicht wird, insbesondere Schwebungen der Art hergestellt, daß sie nicht auf ein Hin- und Herfließen von einem Ohr zum anderen (bei einer Schwebung unterhalb von einem Hz) oder auf einen außenliegenden Differenzton (bei Schwebungen über 100–200 Hz), sondern eben auf Rauhigkeit (bei Schwebungen über 20 und bis 166 Hz – nach Wever) und intermittierenden Schalleindruck (bei Schwebungen zwischen 7 und 20 Hz – siehe Chocholle 1974: S. 204 ff.).

Beide Mehrstimmigkeitsverfahren nutzten also ihr – dem natürlichen Hören entstammendes – ‚räumliches‘ Prinzip aus: unser Konsonanz-Prinzip, eine Sonderform des Umweltschalls und dessen Verschmelzungsprinzip, das stereophone und großräumige Empfindungen ergibt; die Schwebungsdiaphonie, ein engräumiges-konkret-praktisches Prinzip, das eher monaural und punktuelle Schallokalisation anstrebt. Die jeweiligen Stimmführungsregeln sind auf möglichst reine Ausprägung der beiden Prinzipien hin ausgerichtet.

Man müßte nun allgemein philosophisch-psychologische Untersuchungen anstellen, die klären könnten, ob die Phantasie-Welten und Vorstellungen der beiden Kulturareale entsprechende Inhalte bereitstellen. Im rein musikalischen Bereich fällt allerdings auf, daß beide Kulturen entgegengesetzte Raum-Zeit-Vorstellungen entwickelt haben: Ich habe mir erlaubt, diese beiden Möglichkeiten – entsprechend den Wellenformen – longitudinal und transversal zu nennen. Darunter ist folgendes zu verstehen:

Die abendländische Musik arbeitet mit prägnanten Tongestalten, Motiven und Themen, deren Binnenstruktur (d. h. die Intervallverspannung und ihre zeitlich-rhythmische Ausformung) fixiert transversal ist, d. h. in erster Linie hoch-tief Bezüge verwendet. Diese Gestalten sind selbst transponierbar und führen im großformalen Ablauf zu longitudinalen Strukturen, zu Verdichtung (z. B. Engführung) und Dehnung. Spannung in großformaler Hinsicht wird durch immer engeres Nebeneinander bis zum polyphonen Übereinander (z. B. in durchführungsartigen Abschnitten) erzeugt.

In der vorderorientalischen und der Musik des Balkans herrscht ein umgekehrtes Verfahren. Die Großform eines skopos oder maqǎm ist transversal, d. h. tonräumlich fixiert (siehe Touma 1977). Es müssen aszendent, deszendent oder bogenartig angeordnete Tonebenen oder Strukturtöne erreicht und umspielt werden, entsprechend der tonalen Hierarchie des Modus. Eine Steigerung bildet z. B. das Erreichen des höchsten Tones. Die Detailfiguren des Melos sind weit weniger plastisch als unsere Motive und lassen jede Prägnanz vermissen. Sie können kürzer oder länger sein, ihre Dauer unterliegt meist der Improvisation bzw. der momentanen Gestaltung, bestimmte Intervalle sind nicht verlangt. Ihre figurale Gestaltungsebene ist somit longitudinal, d. h., Verdichtung entsteht durch Bildung kürzerer, Dehnung durch Bildung längerer Figuren.

Das würde bedeuten, daß unser Begriff ‚Polyphonie' auf die musikalische Gestaltung des Vorderen Orients bzw. des Balkans nicht zutrifft. Wenn der Chorbordun in der Schwebungsdiaphonie das tonräumliche Bezugssystem darstellt, die anderen Stufen entsprechend ihrer Wichtigkeit auftreten, so wird damit der Tonraum des Modus als Gerüst oder Skelett realisiert, um das sich die Figuren ranken, in ihrer, weit über der Präsenzzeit liegenden Zeitrelation als Hörhilfe gedacht. Das läßt den Schluß zu, daß diese Zusammenklänge keine Polyphonie, d. h. Vielstimmigkeit darstellen, sondern eher eine Art ‚Raumgitter'. Sie sind aber auch keine harmonische Homophonie, da sie gerade nicht auf Verschmelzung angelegt sind.

Wir können zusammenfassend festhalten, daß die Schwebungsdiaphonie einen festen, sich nicht entwickelnden Tonraum (der sehr klein ist) bildet, was sich auch daran erweist, daß eine Fortspinnung klanglich-melodischen Materials nicht stattfindet.

Die blockartige Bildung fördert auch eine Empfindung von Klangrealität und Stille, also ein Kontrastprinzip gegenüber unserem kontinuierlich-diskontinuierlichen Gestaltungsprinzip.

Zum Abschluß soll noch über einen kleinen Vorversuch berichtet werden, der für verbindliche Aussagen aber noch der sorgsamer geplanten Versuchsanordnung und statistisch relevanter Mengen an Versuchspersonen bedarf:

In Modifikation des Werner'schen Experiments ‚Über Mikrotonik und Mikroharmonik' 1925, sollte die Frage überprüft werden, ob ein Referenzton, im Sinne der Schwebungsdiaphonie als Binnenbordun auf der 2. Stufe, die Differenzierung von mikrotonalen Stufen erleichtert. Da Werner bei seinem Versuch von der Motivgestalt und ihrer Prägnanz trotz Transponierbarkeit in ein Tonsystem, das keinen aus den Partialtönen ableitbaren Bezügen unterlag, ausging, sollte in diesem kleinen Versuch – mit bescheidenen technischen Mitteln – eine Parallele zur Schwebungsdiaphonie hergestellt werden, die keine Prägnanz der Gestalten voraussetzte und somit eher dem Raumgitter-Prinzip verpflichtet war. Es wurde ein 7-stufiges Tonsystem mit dem Ambitus eines Ganztons gewählt (d. h. 440–495 Hz, das sind 55 Hz Breite) in das folgende Sinus-Frequenzen eingesetzt wurden: 440 Hz – 449 – 458 – 463 – 472 – 481 und 490 Hz. Wir haben also zwei Stufengrößen vor uns, 9 Hz und – anstelle des diatonischen Halbtons in unserem System – 5 Hz.

Mit diesen Stufen wurde eine aus zweimal 21 Tönen gebildete Tonfolge errechnet, in der jeder Ton, der gleich 0,25 sec. lang und −3 db laut war, genau sechsmal auftrat und zwar so, daß keine zwei Töne öfter als einmal nebeneinander standen und alle möglichen Intervalle in auf- und absteigender Folge einmal vorkamen. Als Bordun wurde, wie schon erwähnt, die 2. Stufe, d. h. 449 Hz, dazugemischt.

Die 18 Versuchspersonen (Studenten meines Seminars) wurden in zwei gleichgroße Gruppen geteilt und zwar so, daß die 4 außereuropäischen Studenten ebenfalls in beiden Gruppen mitwirkten.

Der einen Gruppe wurden nun über Kopfhörer die Tonfolge ohne den Bordun, also einstimmig geboten, der zweiten Gruppe in Monostellung, d. h. zusammengemischt auf beiden Ohren dieselbe Information, die Tonfolge mit Bordun. Die Versuchspersonen konnten die Probe beliebig oft wiederholen. Gefragt war die Anzahl der Stufen.

Es ergab sich bei beiden Gruppen die gleiche Spannweite der Aussagen: es wurden 2–6 Stufen geschätzt, die Extremwerte je einmal. Der Unterschied lag – zugunsten der Gruppe mit Bordun – bei der häufigsten Schätzung: auf 5 Stufen.

Im Durchschnitt wurde die maximale Informationsmenge in der Gruppe 1 (einstimmig) zu 57% in der Gruppe 2 (mit Bordun) 62% erreicht, das ergibt eine geringe Verbesserung von 5%.

Auf die Frage 2, wie groß der Ambitus des Systems gewesen sei, schätzten 3 Versuchspersonen eine kleine Terz, einer eine kleine Sekund, alle anderen gaben die richtige Größe, einen Ganzton zu Protokoll. Auf die Frage 3, ob die Skala äquidistant wäre, oder verschiedene Größen aufwiese, votierten für die richtige Antwort 8, für Äquidistanz 6. Die Fragen 2 und 3 wurden nach einmaligem Vorspielen der Probe mit Bordun beantwortet. Es läßt sich also vermuten, daß ein Referenzsystem, wie der Binnenbordun trotz weit über den Gestaltskriterien liegenden Tonfolgen eine – zumindest geringe – Verbesserung des Intervallhörens ergibt. Doch eine endgültige Klärung kann erst ein sauber geplantes Experiment mit statistisch relevanter Anzahl der Versuchspersonen geben, wie sie aus technischen Gründen nicht möglich war. Es müßte auch ein Kontrollversuch mit Vorderorientalen gemacht werden.

Anmerkung

1   Um einem gelegentlichen Mißverständnis vorzubeugen: Das Sonagramm ist keine objektive Analyse, es transformiert nur einen akustischen Zeitablauf in ein optisches Medium. D. h. das Sonagramm muß – wie eine Transkription in Noten – erst vom Forscher gedeutet werden und unterliegt somit derselben Gefahr einer Fehlinterpretation wie eine Partitur. Das Sonagramm gibt den Schall wieder, wie er auf dem Tonband gespeichert ist und nicht, wie er vom Zuhörer gehört wird. Wir fassen ja – aufgrund unserer Hörerwartung – bestimmte Schalleigenschaften und Details zusammen und trennen diese von anderen Elementen. Daß gerade die Schwebungsdiaphonie mit Strukturen arbeitet, die auf eine Täuschung des Ohres bzw. auf eine andere Hörerwartung hinauslaufen, wird in der Folge noch zu zeigen sein.

Literaturverzeichnis

Abraševa, S.: The principles of vertical organisation in Bulgarian two-part polyphony, in: Bălgarska musika 19, Sofia 1968, 15–22.

Adler, G.: Über Heterophonie, in: Jb. der Musikbibliothek Peters 15, Leipzig 1909, 17–27.

Ahrens, Chr.: Die Musik der griechischen Bevölkerungsgruppen in Italien, in: Neue Ethnomusikologische Forschungen (Festschrift Hoerburger), Regensburg 1977, 129–140.

Baud-Bovy, S.: Tragoudia tou Dodekanisou II, Athen 1935.

Baud-Bovy, S.: Chansons d'Epire du Nord et du Pont, in: Yearbook of the IFMC vol. 3, (1971), 120–127.

Baud-Bovy, S.: L'accord de la Lyre Antique et la Musique Populaire de la Gréce Moderne, sep. o. D.

Békésy, G. v.: Experiments in Hearing, New York/Toronto, London 1960.

Belaiev, V.: Early Russian Polyphony, in: Studia memoriae Belae Bartok sacra, Budapest 1956, 307–325.

Brandl, R.: Über das Phänomen Bordun (Drone), in: Studien zur Musik SO-Europas, Beitr. zur Ethnomusikologie 4, Hamburg 1976, 90–121.

Brandl, R.: Zum Gesang der Kafiren, in: Neue Ethnomusikalische Forschungen, Regensburg 1977, 191–208.

Chocholle, R.: Das Qualitätssystem des Gehörs, in: Metzger (Hrsg.): Handbuch d. Psychologie, 1. Bd., Allgemeine Psychologie, 1. Halbb. Wahrnehmung und Bewußtsein, Göttingen ²1974, 192–220.

Chocholle, R. und Legouix, J. P.: Facteurs intervenant dans la mesure des distorsions présentées par les potentiels microphoniques, in: J. Physiology 48, (1957), 448 f.

Dietrich, W.: Zur Gestaltung der zweiten Stimme in der polyphonen Musik des N-Epiros, in: Festschrift S. Baud-Bovy (im Druck) 1978.

Dunker, E.: Zentrale Bahnsysteme und Verarbeitung akustischer Nachrichten in: Gauer/Kramer/ Jung (Hrsg.): Hören, Stimme, Gleichgewicht, Physiologie d. Menschen, 12, München, Berlin, Wien 1972.

Džudžeff, St.: Bălgarska narodna musika, Sofia 1970.

Emsheimer, E.: Some Remarks on European Folk Polyphony, in: Journ. IFMC Vol. XVI, (1964), 43–46.

Emsheimer, E.: Georgian Folk Polyphony, in: Journ. IFMC Vol. XIX, (1967), 54–57.

Feldtkeller, R. und Zwicker, E.: Das Ohr als Nachrichtenempfänger, Monographien d. elektr. Nachrichtentechnik 19, Stuttgart ²1967.

Foedermayr, F.: Zur gesanglichen Stimmgebung in der außereuropäischen Musik, Acta ethnologica et linguistica Nr. 24, Wien 1971.

Graf, W.: Biologische Wurzeln des Musikerlebens, in: Schriften d. Vereins zur Verbreitung naturwiss. Kenntnisse, Wien 1960, 1–39.

Graf, W.: Das biologische Moment im Konzept der vergl. Musikwissenschaft, in: Studia Musicologica Acta Scientiarum Hungariae, T. 10, Budapest 1968, 91–113.

Graf, W.: Gewöhnliches, sprachliches und musikalisches Hören, in: Mitteil. d. Anthropologischen Ges. in Wien, Bd. 100, Wien 1970, 359–368.

Graf, W.: Musikalische Klangforschung, in: Acta Musicologica, Vol XLIV, fasc. 1, (1972) 32–78.

Hensel, H.: Gehörphysiologie, in: MGG 4, 1563 f., Kassel/Basel 1955.

Husmann, H.: Vom Wesen der Konsonanz, Heidelberg 1953.

Kacarova-Koukoudova, R.: Phénomènes polyphoniques dans la musique populaire bulgare, in: Studia Musicologica Acad. Scientiarum Hungariae 3 (1–4), Budapest 1962, 161–172.

Kačulev, J.: Zweistimmige Volksmusikinstrumente in Bulgarien, in: Emsheimer/Stockmann (Hrsg.): Studia instrumentorum musicae popularis 1, Stockholm 1969, 142–158.

Kaufmann, N.: Mehrstimmigkeit in der bulgarischen Volksmusik, in: Beiträge zur Musikwissenschaft Heft 2, Berlin 1964, 101–128.

Kaufmann, N.: Narodni pesni ot jugozapadna Bălgaria, pirinski kraj 1, Sofia 1967.

Kaufmann, N.: Balgarskata mnogoglasna narodna pesen, Sofia 1968.

Kaufmann, N.: Bălgarska narodna musika, Sofia 1970.

Keidel, W. D.: Das Räumliche Hören, in: Metzger (s. o.), (²1974), 518–555.

Kuba, L.: Einiges über das istrodalmatinische Lied, in: III. Kongreß der Int. Musik-Gesellschaft, Wien 1909, 271–276.

Kuckertz, J.: Form- und Melodiebildung der karnatischen Musik Südindiens, Köln 1970, 99.

Kuhač, F. S.: Južno – Slovjenske narodne popievke, Zagreb 1898.

Kunst, J.: Cultural Relations between the Balkans and Indonesia, in: Medeling Nr. 107, Afdeling Culturele en physische anthropologie Nr. 47, Amsterdam ²1960.

Lach, R.: Studien zur Entwickelungsgeschichte der ornamentalen Melopöie, Leipzig 1913.

Lach, R.: Die Musik Russischer Kriegsgefangener 1914–1917 (1917/1928).

Leipp, E.: Acoustique et musique, Paris 1971.

Messner, G. F.: Die Schwebungsdiaphonie in Bistrica, ungedr. Diss., Wien 1976.

Peristeris, Sp.: Chansons polyphoniques de'l Epire du Nord, in: Journ. IFMC, vol. XVI, 51–53 (davor griech. in: Laographia Tom. 9/10, Athen 1958/1964, 105–133).

66

Petrovič, R.: Two Styles of Vocal Music in the Zlatibor Region of West Serbia, in: Journ. IFMC, vol. XV, (1963), 45–48.

Plomp, R.: Experiments on Tone Perception, Soesterberg 1966.

Plomp R. und Smoorenburg, G. F.: Frequency Analysis and Periodicity Detection in Hearing, London 1970.

Reinecke, H. P.: Experimentelle Beiträge zur Psychologie des musikalischen Hörens, Hamburg 1964.

Rithman, Cv.: Polifoni oblici u narodnojmuzici Bosne i Hercegovine, in: Bilten Instituta za Prouča-vanje Folklora u Sarajevu I, Sarajevo 1951, 7–20.

Rithman, Cv.: Mehrstimmigkeit in der Volksmusik Jugoslaviens, in: Journ. IFMC, vol. XVIII, (1956), 23–28.

Rithman, Cv.: Probleme der interdisziplinären Zusammenarbeit in der Ethnomusikologie, in: Stockmann, E. (Hrsg.) Studia instrumentorum musicae popularis III, Stockholm 1974, 185–188.

Roederer, J. G.: Introduction to the Physics and Psychophysics of Music, New York/Heidelberg/Berlin 1973, 24–32.

Schneider, M.: Geschichte der Mehrstimmigkeit I, Berlin 1934.

Schügerl, K.: Zeitfunktion und Spektrum in der subjektiven Akustik, in: Musik als Gestalt und Erlebnis, Festschr. W. Graf, Wien 1970.

Stockmann, D. u. E.: Die vokale Bordunmehrstimmigkeit in Südalbanien, in: Coll. d. Wegimont 4, Paris 1964.

Stockmann, D. u. E.: Albanische Volksmusik I, Berlin 1965.

Stockmann, D. u. E.: Zur Vokalmusik der südalbanischen Čamen, in: Journal IFMC, vol. XV, (1965), 38–44.

Stoin, V.: Hypothese sur l'origine Bulgare de la diaphonie, Sofia 1925.

Terhardt, E.: On the Perception of Periodic Sound fluctuations (Roughness), in: Acustica, vol. 30, München 1974, 201–213.

Traerup, B.: East Macedonia Folksongs, Kopenhagen 1972.

Touma, H. H.: Der arabische Taqsim im Maqam Bayati, Beiträge zur Ethnomusikologie 5, Hamburg 1977.

Wellek, A.: Musikpsychologie und Musikästhetik, Frankfurt 1963.

Werner, H.: Über Mikromelodik und Mikroharmonik, in: Zeitschrift f. Psychologie, Bd. 98, Leipzig 1925, 74–89.

Werner, E. G.: Beats and related phenomena resulting from the simultaneous sounding of two tones, Psych. Rev. 36, (1929), 402–418 und 512–523.

Wiora, W.: Zwischen Einstimmigkeit und Mehrstimmigkeit, in: Vetter (Hrsg.), Festschrift Max Schneider zum 80. Geburtstag, Leipzig 1955, 319–334.

Dragotin Cvetko

Die slowenische Oper im Wandel der Zeit

Die Opernreproduktion in Slowenien auf der einen Seite und das Schaffen der slowenischen Oper sowie deren Wiedergabe auf der anderen sind als zwei Kategorien zu betrachten, die sich nicht nur ihren einschlägigen Bereichen, sondern auch ihrer Zeit nach unterscheiden, in der sie in Erscheinung traten und ihre Wurzeln im slowenischen Raum schlugen.

Hinsichtlich der ersteren dürfen wir die zwar nur spärlich belegte, aber in bezug auf die musikalische Situation jener Zeit statthafte Vermutung aufstellen, daß die Oper in Ljubljana (Laibach), der Hauptstadt des ehemaligen Herzogtums Krain, eines Teils des slowenischen Stammgebietes, bereits um 1620 oder 1652 bzw. 1655 nicht unbekannt war.[1] Demgegenüber steht fest, daß man sie spätestens 1660 kennenlernte, als eine „Comedia Italiana in Musica" am Hofe des Grafen W. E. von Auersperg gespielt wurde.[2] Von nun an kommen die Angaben über die Opernvorstellungen in der genannten Stadt häufiger vor. Sie wurden anfangs offensichtlich von den einheimischen Musikliebhabern, später, vor allem von den 30er Jahren des 18. Jahrhunderts an, von italienischen Operngesellschaften zunächst im Landeshaus und seit 1765 im Ständischen Theater gegeben. Gegen Ende der 70er Jahre gesellten sich diesen noch die deutschen Theatergruppen zu.

Haben die Opernaufführungen verhältnismäßig früh begonnen, so läßt sich quellenmäßig das Opernschaffen nicht so früh bezeugen. Aus den uns zur Verfügung stehenden Quellen ergibt sich der Schluß, daß „Il Tamerlano" von C. G. Bonomi die erste in Slowenien entstandene Oper ist.[3] Doch ist ihr Komponist, dessen Vorfahren seiner Angabe zufolge auf slowenischem Boden gewohnt haben, italienischer Herkunft, was bedeutet, daß diese Oper, die 1732 im Palast des krainischen Viztums zur Aufführung gelangte, nicht die Frucht eines slowenischen Schöpfers ist. So mußte dann noch ungefähr ein halbes Jahrhundert vergehen, bis sich ein slowenischer Tonsetzer fand, der sich an ein solches Werk heranwagte. Das geschah 1780 oder 1782, als Jakob Zupan (Suppan), „Ludi et Chori Magister", „egregius Compositor et Musicus" von Kamnik die „kleine" Oper „Belin" vertonte. Leider ist uns ihre Musik nicht erhalten geblieben, doch liegt es im Hinblick auf das bestehende Buch von J. D. Dev, dessen Autorschaft unlängst von R. Flotzinger angezweifelt wurde,[3a] nahe, daß die Komposition von barockem Geist geprägt wurde, wobei uns in Anbetracht einiger vorhandener Werke Zupans möglich erscheint, daß sie bereits frühklassische Züge trug.[4] War die Musik von „Belin" noch wirklich barock, so stimmte sie mit der damaligen musikalischen Situation und der geistigen Einstellung der slowenischen Aufklärung stilistisch nicht überein. Allerdings entsprach eine solche Vertonung der Dichtung und sagte ebenso dem noch offensichtlich der barocken Kunst geneigten Publikum zu, welches Zupan beim Komponieren im Sinne gehabt haben mußte. Doch gibt es keinen Beweis dafür, daß „Belin" aufgeführt wurde. Indessen unterliegt es keinem Zweifel, daß es an solchen Ausführenden nicht fehlte, die imstande waren, das Werk in Szene zu setzen. Neben den deutschen und italienischen Theatergesellschaften entfalteten damals auch die einheimischen Theaterliebhaber eine rege Tätigkeit. Trotz aller Duldsamkeit, die noch Ende des 18. Jahrhunderts das Zusammenleben der deutschen und slowenischen Bevölkerung in Ljublja-

gend alpinen Merkmale der slowenischen Volksmusik für die Komponisten weniger anregend.

In Kroatien hat die Idee einer „nationalen Richtung" in der Musik starke Resonanz gefunden. Man empfand sie als historische Notwendigkeit und als Anknüpfen an die „Illyrische Bewegung", die im 19. Jh. (1835–1848) die Grundlagen eines nationalen Stils in der kroatischen Musik legte. Die Ideologie der nationalen Richtung kam auch in den ästhetischen Schriften und in der Musikkritik der Zwischenkriegszeit (Pavao Markovac, Antun Dobronić) zum Ausdruck.[2] Und doch kam es nach dem Aufschwung der „nationalen Richtung" in den zwanziger Jahren dann gegen Ende der dreißiger Jahre zu einer Stagnation: die wesentlichen Werke waren geschaffen, auf demselben Wege war keine weitere Entwicklung möglich.

In der kroatischen Musikgeschichte hat man bisher die „nationale Richtung" meist als eine einheitliche Erscheinung dargestellt und ihre Bedeutung besonders betont. In dieser Untersuchung möchte ich indessen gerade auf die Unterschiede hinweisen, die bei näherer Betrachtung der Gesamtproduktion dieser Zeit in Erscheinung treten. Die schaffende künstlerische Generation, die am Anfang der zwanziger Jahre ihre erste Reife hatte, hat sich im Klima der gemeinsamen ideologischen Grundlagen des „nationalen Stils" entwickelt; fast jede schaffende künstlerische Persönlichkeit fühlte die Verpflichtung, sich mit dem Phänomen der Volkskunst auseinanderzusetzen. Doch waren die Auffassungen dieser Auseinandersetzung sowie die Wege ihrer Realisierung verschieden. Demnach scheint die übliche Bezeichnung „nationale Richtung" durchaus vage, ja sogar irreführend, weil sie der Komplexität der Erscheinungen in der kroatischen Musikgeschichte der Zwischenkriegszeit nicht gerecht wird. Indem wir hier methodologische Ansätze für eine nähere Beschreibung und Differenzierung der unter dem Begriff „nationale Richtung" bisher zusammengefaßten Stile und Erscheinungen versuchen, möchten wir damit auch einen Beitrag zur Wertung der kroatischen Musik zwischen 1918 und 1941 leisten.

Die Quellen

Jugoslawien ist ein Land, in dem sehr verschiedene Traditionen der Volkskunst nebeneinander existieren. Die neuesten Forschungsergebnisse der Ethnomusikologie zeigen, daß man für die erste Hälfte des 20. Jhs. in Jugoslawien auf Grund verschiedener tonaler Zusammenhänge im Volksgesang (d. h. nach den musikalischen Ausdrucksmitteln wie Tonreihen, Beziehungen der Töne zueinander, sowie Formen der Mehrstimmigkeit) sieben Stile unterscheiden kann.[3] In manchen Regionen bestehen zwei oder sogar mehrere Stile nebeneinander; es gibt auch Gegenden, in denen ein Stil überwiegt, doch ganz „rein" besteht keiner mehr. Kroatische Komponisten haben nun nach dem Ersten Weltkrieg als Quellen zunächst schon vorhandene Sammlungen der Volksmusik benutzt, aber auch selbst Aufzeichnungen gemacht und künstlerisch verwertet, nämlich diejenigen Komponisten, die auch als Ethnomusikologen (Sammler und Forscher) aktiv waren, so z. B. Božidar Širola und Antun Dobronić. Am meisten benutzt wurden die berühmte Sammlung von Ludvík Kuba und die vier Bände der Volksliedersammlung von Franjo Kuhač.[4]

Was die Wahl der Quellen betrifft, fällt zunächst auf, daß die Beziehung einzelner Komponisten zur Musikfolklore bestimmter Regionen und zu den in diesen Regionen lebenden Stilen des Volksgesanges sehr verschieden war. Obwohl keine systematischen Untersuchungen vorliegen, die diese Frage mit genaueren Angaben erhärten könnten, kann man doch schon jetzt, nach einer Überprüfung der zugänglichen Musikproduktion dieser Zeit, feststellen, daß bestimmte Stile bevorzugt wurden – offenbar weil andere weniger Anregung für künstlerische Umgestaltung zu bieten schienen. So wird z. B. der „Stil der engen Intervalle" (s. Bezić S. 27) nur selten verwendet, während dem „Stil auf Bass" oder dem „Stil der orientalischen Elemente" (den man als autochthon „balkanisch" empfand – obwohl er sich bis Turkestan erstreckt) meistens nur wenige charakteristische Elemente entnommen und als Manieren stilisiert wurden.

Die Ursachen für diesen unterschiedlichen Zugriff zu den Quellen sind komplex. Einerseits liegen sie bei manchen Komponisten in der Bevorzugung der Folklore der engeren Heimat (so hat sich z. B. Ivan Matetić-Ronjgov ausschließlich für den „Stil der engen Intervalle" der sog. „istrischen Tonleiter" entschieden), andererseits sind die Motive für die Wahl eines bestimmten Tonmaterials auch musikalischer Natur. Während nämlich die Musik einiger Volksmusik-Stile auf Tonreihen basiert, die dem Dur-Moll-System nahestehen, ruhen andere Stile auf Grundlagen, welche die Integration ihrer Melodien in die auf der tonalen Tradition beruhende Kunstmusik nicht ermöglichen. Man könnte also – vom Blickpunkt der künstlerischen „Verwendbarkeit" (allerdings nur in Beziehung auf die Kunstmusik, welche die Tradition nicht radikal durchbricht) – die Musikfolklore in Jugoslawien als „integrierbar" und „nicht-integrierbar" betrachten. Dabei ist charakteristisch, daß die Avantgarde den in der Kunstmusik Jugoslawiens bisher nicht in seiner echten, untemperierten Natur verwendeten „Stil der engen Intervalle" entdeckt und künstlerisch umgestaltet hat (Devčić, Globokar, Horvat).

Die Beziehung einzelner Komponisten zu den Volksmusik-Quellen kann man natürlich auch in größerer Differenzierung betrachten und engere oder breitere Interessenfelder bei der Umgestaltung der Folklore ins Auge fassen. Einige Komponisten haben in ihren Werken die nur einem Stil zugehörige Musikfolklore verwendet, während andere versucht haben, aus verschiedenen stilistischen Bereichen der Volksmusik zu schöpfen. Von diesem Blickpunkt sind also zu unterscheiden:

a) Monostilistisch gebundene Werke; z. B. die meisten Kompositionen von Ivan Matetić-Ronjgov, teilweise auch Werke von Krsto Odak und Krešimir Baranović;

b) Polystilistisch konzipierte Werke, in denen Volksmusik verschiedener Stile und Regionen Jugoslawiens bewußt nebeneinander verwendet wurde; z. B. Werke von Jakov Gotovac, Ivo Tijardović, Antun Dobronić, oder einige Werke von Josip Slavenski, dessen Orchestersuite Balkanofonija (Balkanophonie) etwa die Mannigfaltigkeit der Volksmusiktraditionen und dadurch auch der Völker auf dem Balkan symbolisiert;

c) Suprastilistisch (supraregional) entworfene Werke, in denen bewußt oder spontan Eigenschaften verschiedener Volksmusikstile umgeschmolzen werden; z. B. einige Werke von Slavenski.

Ein weiteres Differenzierungsmerkmal wären die historischen Schichten des verwendeten Materials. Dabei kann man grundsätzlich zwischen alten Bauerngesängen und neueren, vorstädtischen und kleinbürgerlichen Gesängen unterscheiden. In dieser Hinsicht kann man die allmähliche Verlagerung des Interesses von der vorstädtischen Folklore zu älteren Gesängen des Dorfes beobachten.

In den ästhetischen Diskussionen der Zwischenkriegszeit tritt öfters der Gedanke auf, die Wurzeln eines autochthonen nationalen Stils lägen in den oligotonischen Gesängen der Bewohner der Gebirgsgegenden, und dieser Stil drücke am ehesten das Wesen des Balkans musikalisch aus.

Kompositionstechnische Aspekte

In den Beziehungen einzelner Komponisten zu den Quellen aus der Volksmusik treten auch verschiedene kompositionstechnische Aspekte hervor. Diese Beziehungen hängen im Grunde mit der künstlerischen Persönlichkeit, ihrer Aussagekraft, ihrer Technik und ihrer gesamten Entwicklung zusammen. Man kann die Folklore als Vorwand für den Mangel an Ideen nutzen, man kann sie auch als „Rohmaterial" ganz dem eigenen Stil unterwerfen und der eigenen Technik zunutze machen. Aus diesem Prozeß der Annäherung und der Gewinnung von Distanz, einem Prozeß, den wir manchmal sogar bei ein- und derselben Persönlichkeit beobachten können, entsteht das Spannungsfeld, in dem sich die gesamte Produktion in Kroatien zwischen den beiden Weltkriegen bewegt. Die Auseinandersetzung mit Fragen wie diesen ist ein Leitmotiv der Musikkritik und Musikwissenschaft nicht nur dieser Zeit, sondern auch der Jahrzehnte nach dem Zweiten Weltkrieg.

Grundsätzlich, wenn auch verallgemeinernd, kann man in der Beziehung zur Volksmusik drei Verfahrensweisen unterscheiden:

a) Von der einfachen Harmonisierung zur kreativen Umgestaltung der Quelle. Bei Harmonisierung bzw. Instrumentierung und Bearbeitung ist die Grenze zwischen bloßer Hinzufügung einer harmonischen Komponente und einer kreativen Umgestaltung der Vorlage meistens unscharf. Die „Volksoper" Dorica pleše (Dorica tanzt, 1933) von Krsto Odak und Đuro Vilović (Libretto) ist z. B. so aus Volkstexten und Volksgesängen aus Medimurje zusammengestellt, daß dieses Werk sogar urheberrechtliche Fragen aufgeworfen hat: Ist es ein Werk von Odak oder bloß eine Bearbeitung der Volksmusik durch Odak? Darf man auf der anderen Seite den berühmten Chor Voda zvira (Die Quell' entspringt, 1916) von Josip Slavenski als bloße Bearbeitung ansehen? Während sich Odak ganz dem Charakter der Volksmelodien aus Medimurje unterwirft und als Komponist bewußt hinter die gewählten Gesänge zurücktritt, strahlt Slavenskis „Bearbeitung" eine neue Qualität aus. Durch kühne, für seine Zeit ungewohnte Harmonisierung und satztechnische Raffinesse hat Slavenski einer bekannten Melodie neue Dimensionen gegeben, so daß man dieses Werk, wohl mit Recht, auch als eine originale Komposition Slavenskis einschätzen darf. In ähnlicher Weise besitzen auch die Bearbeitungen von Božidar Širola und Antun Dobronić jene Individualität, die sie aus den üblichen routinemäßigen Harmonisierungen heraushebt.

Nur einen Schritt weiter stehen diejenigen Werke, die eine freie Umgestaltung konkreter volksmusikalischer Modelle sind. So trägt die Sammlung der Klavierminiaturen von Antun Dobronić „Zemlja i sunce", I, II (Erde und Sonne, 1923) den Untertitel „auf dem Grund jugoslawischer Volksmusik"; der Komponist bringt auch die originalen Volksmelodien (mit Quellenangabe), die er für jede der Miniaturen verwendet hat. Mit den Elementen der gewählten Melodien baut der Komponist freie, rhapsodische Formen der einzelnen Sätze seiner Klaviersuiten.

b) Zitate. Volksmelodien oder deren Fragmente werden auch als Zitate benutzt, manchmal mit symbolischer Bedeutung. Oft werden solche Zitate als Themen verwendet und in der Instrumentalmusik auf traditionelle oder ganz neue Weise entwickelt. Dabei fügt sich das „Rohmaterial" ganz den Gesetzen der gewählten künstlerischen Gestaltung in Form und Satz. Einen solchen Fall stellt der zweite Satz der Klaviersonate von Josip Slavenski dar; hier hat die Kraft der künstlerischen Persönlichkeit die Zitate alter kroatischer Weihnachtslieder in die Individualität seines Schaffens integriert.

Oft treten Themen aus verschiedenen Volksmusik-Regionen als Vertreter der Völker Jugoslawiens in ideologischer Funktion auf (Ivo Tijardović, „Mala Floramye", Operette; Antun Dobronić, „Udovica Rošlinka", Die Witwe Rošlin, komische Oper). Überhaupt treten Tänze oder Gesänge aus verschiedenen Regionen oft in suitenartiger Verbindung auf, wobei das Nebeneinander kontrastreicher Volksmusik-Stile die verschiedenen ethnischen und psychologischen Eigenschaften der Bevölkerung einzelner Gegenden symbolisiert.

c) „Folklorismen" entstehen durch Anlehnung an charakteristische Merkmale eines oder mehrerer Volksmusik-Stile. Hierbei übernimmt der Komponist Tonreihen oder typische melodische Wendungen und Rhythmen, oder er imitiert eine bestimmte aufführungspraktische Kombination und ihre Klangfarbe, oder einen Stil der Aufführung (z. B. den improvisierenden „rubato" Stil des instrumentalen Musizierens, oder die Art der Sänger epischer Lieder mit Gusle-Begleitung). Antun Dobronićs Thematik ist z. B. vom traditionellen Stil des Singens „ojkanje" sowie von der Art primitiver Polyphonie des dalmatinischen Hinterlandes beeinflußt. Es ist zu beobachten, daß bestimmte Manieren oder Klischees sich in der kroatischen Musik der besprochenen Zeit geradezu ausbreiten; etwa die übermäßige Sekunde als „Balkan-Topos", oder die Kadenz auf der zweiten Stufe der F-Dur-Tonalität mit dem Dominantdreiklang als Begleitungsakkord (ein Kennzeichen des vitalsten Folklore-Stils in Jugoslawien), oder die Bordunquinten in der Begleitung. Solche vagen Merkmale können bei verschiedenen Perzipienten auch verschiedene regionale Assoziationen hervorrufen, wie Carl Dahlhaus in seinen Betrachtungen über den Folklorismus, den Exotismus und Archaismus des 19. Jhs. trefflich bemerkt hat.[5]

Nur in einzelnen Fällen können wir, wie bei Béla Bartók, über geniale Umgestaltung der Volksmusik-Quellen reden, wobei auf der neuen Ebene die Tatsache der Folklore-Verwendung für die Wertung der künstlerischen Aussage unwesentlich wird. Von den kroatischen Komponisten waren es in erster Reihe Slavenski, Brkanović und Papandopulo, die in einigen Werken durch Aneignung gewisser Merkmale der Volksmusik eine einzigartige Verschmelzung von Archaischem, Urwüchsigem, Traditionellem und modernen Gestaltungsmitteln vollbracht haben.

Stilistische Aspekte

Volksmusik als eine Art Rohmaterial oder als Anregung wurde in Werken verschiedener Stilrichtungen verwendet, die der kroatischen Musik der Zwischenkriegszeit ein Kennzeichen des stilistischen Pluralismus gaben. Neben neoromantischer Tradition sind auch neoimpressionistische und (in den dreißiger Jahren) neoklassizistische und neobarocke Tendenzen bemerkbar. Es ist kein Zufall, daß die wichtigsten Vertreter des neoromantischen nationalen Stils (Cipra, Papandopulo) Mitte der dreißiger Jahre neue Wege suchten, während einige andere allmählich stagnierten.

Im neoromantischen Rahmen erscheinen stilisierte Elemente der Folklore oft als

Dekoration und Exotismen; diese Erscheinungen erinnern an jene Züge der europäischen Romantik, denen wir im 19. Jh. in Europa überall begegnen.

Anlehnungen an die russischen Ballette von Strawinsky finden sich in einigen Werken von Krešimir Baranović (so in seinem besten Ballett Licitarsko srce („Das Lebkuchen-Herz", 1924) und in der komischen Oper Striženo-košeno („Geschnitten oder gemäht", 1932). Der Komponist hat einen malerischen Orchesterklang entwickelt und treffend als Charakterisierungsmittel (in Kombination mit komplexer Rhythmik) verwendet.

Aus dem Erbe von Mussorgski, Janáček und Strawinskys „Les Noces" sind einige der profiliertesten Kompositionen der kroatischen Musik der Zwischenkriegszeit hervorgegangen (Slavoslovije, Kantate, 1927, von Boris Papandopulo; das Triptychon, 1936, von Ivan Brkanović; der Chor mit Bläserbegleitung Koleda, 1925, von Jakov Gotovac u. a.) Diese und ähnliche Werke beruhen auf der tiefen Einsicht in die Gesamtheit der soziologischen, psychologischen und ethnischen Eigenschaften alter Volksbräuche und Riten, aus der sie textlich und musikalisch neu gestaltet sind. Dabei wird die gesamte musikalische Aussage – von der Großform und vom Satz bis zur Klanggestaltung und zum Wort-Ton-Verhältnis – von der Volksmusik geprägt. Die Arbeit mit kleinen Motiven, die Verwendung von ostinaten Figuren, eine spezifische vokale Expressivität, breit aufgebaute Steigerungen usw. dürften die Bezeichnung „slawischer Expressionismus" für die Kompositionen dieser Richtung rechtfertigen.

Alle diese Lösungen sind aber ohne die neuen Tendenzen in der sonstigen Musikentwicklung undenkbar: Die Errungenschaften der impressionistischen Harmonik, die Emanzipation der Dissonanz, neue Sichtweisen der Tonalität, das insgesamt verfeinerte Gespür für den Klang und seine Ausdrucksmöglichkeiten.

Die „nationale Richtung" in der kroatischen Musik und ihre Wertung

Für jene Werke aus der besprochenen Zeit, die auf direkte oder stilisierte Weise Volksmusik verwenden oder durch ausgewählte Themen oder Titel einen Inhalt aus dem Bauernleben konkretisieren,[6] hat sich in der kroatischen Musikhistoriographie die Bezeichnung „nationale Richtung" eingebürgert. Der Terminus ist von der Bezeichnung „Nationale Schulen" abgeleitet, die für die Musik jener europäischen Länder geprägt worden ist, die im 19. Jh. auf die internationale Musikszene traten; der Begriff „nationale Richtung" wird aber, wie wir gezeigt haben, der realen Situation nur teilweise gerecht.

Für die besten Komponisten dieser Zeit ist die Verwendung oder Nichtverwendung von Material aus der Volksmusik nämlich so unwesentlich wie für Béla Bartók. Auch haben mehrere von ihnen eine dynamische Entwicklung durchgemacht, und nach einer „nationalen" Phase neue Ausdrucksbereiche entdeckt und erschlossen. Trotzdem wurde die Verwendung von Folklore mehr und mehr zum Kriterium des ästhetischen Urteils. Alle, die Musik ohne Elemente der Volksmusik komponierten, oder sie in einen zu stark international gefärbten Satz zu integrieren vermochten (wie z. B. Božidar Kunc, der ausgeprägteste Vertreter der neoimpressionistischen Tendenzen in der kroatischen Musik) wurden als „antinational" abgewertet.

Die Auseinandersetzung mit der musikalischen Folklore war für die Zwischenkriegsgeneration in Kroatien eine grundlegende Frage der künstlerischen Orientierung, und in der kroatischen Musikgeschichte hatte das ganze „Folklore-Syndrom" tiefe psychologische, politische und kulturgeschichtliche Ursachen und Wirkungen: auch in der Kunst der Nachkriegszeit war Folklore noch ein Problem und es ist Stjepan Šulek gewesen, der als erster in seiner Symphonik auch andere mögliche Wege zeigte.

Die stärkere Anlehnung an Modelle aus der russischen und tschechischen Musik in den Jahren nach dem Ersten Weltkrieg ist vor allem durch Distanzierung vom österreichisch-ungarischen Kulturkreis zu erklären. In der „nationalen Richtung" spielen allerdings auch noch Ressentiments nicht ausgelebter, nicht völlig entfalteter Möglichkeiten eine Rolle, die die „Illyrische Bewegung" im 19. Jh. angelegt hatte. So ist die Volksmusik in verschiedenen Intensitätsgraden und Nuancen in den meisten Werken der kroatischen Komponisten der Zwischenkriegszeit anwesend – ein Phänomen, das freilich erst durch die Tatsache der Lebendigkeit der Volkskunst auf dem Balkan ermöglicht wurde, in einer Zeit, in der in den meisten industrialisierten Ländern des westlichen Europas die Bauernkunst schon nahezu ausgestorben war. Aus der Sicht der heutigen Generation ist Verwendung oder Nichtverwendung von Folklore zwar kein Wertkriterium für die kroatische Kunstmusik dieser Zeit. Man darf aber nicht übersehen, daß gerade aus dem lebendigen, kreativen Kontakt mit der Volksmusik einige der am meisten prononcierten, ausgeprägten Werke der kroatischen Musik der Zwischenkriegszeit entstanden sind, Werke in denen sich jene fruchtbare Synthese – auf die das einleitende Zitat dieser Darstellung hinweist – in vollem Maße vollzogen hat.

Anmerkungen

1 Allgemeine Angaben über diese Zeit der kroatischen Musikgeschichte und ihrer Vertreter bringt Josip Andreis in Music in Croatia, Zagreb 1982.
2 Cf. z. B. Koraljka Kos, Hrvatska glazba izmedu dva rata u svjetlu muzikološkopublicističke misli Pavla Markovca (Die kroatische Musik zwischen den beiden Weltkriegen im Lichte der musikwissenschaftlichen und publizistischen Arbeiten von Pavao Markovac), Zbornik radova u povodu 75. godišnjice rođenja Pavla Markovca, JAZU, Zagreb 1979, S. 9–39.
3 Siehe dazu auch den Beitrag von Jerko Bezić in diesem Sammelband. The Tonal Framework of Folk Music in Yugoslavia, The Folk Arts in Yugoslavia: Papers presented at a Symposium Pittsburgh, Pennsylvania March 1976 (Pittsburgh, 1976), S. 195–207. Stilovi folklorne glazbe u Jugoslaviji (Die Stile der Folkloremusik in Jugoslawien), Zvuk, 1981, Nr. 3, S. 33–50.
4 Ludvík Kuba, Slovanstvo ve svých zpěvech, 1884; Franjo Ksaver Kuhač, Južnoslovjenske narodne popievke, Zagreb, I–IV, 1878–1881.
5 Carl Dahlhaus, Die Musik des 19. Jahrhunderts, Neues Handbuch der Musikwissenschaft, hrsg. von Carl Dahlhaus, Bd. 6, Wiesbaden 1980.
6 Zu diesem Phänomen und überhaupt zum ganzen Komplex des nationalen Stils in der Musik, siehe auch Zofia Lissa: Über den nationalen Stil in der Musik, in: Aufsätze zur Musikästhetik, Berlin 1969.

Anhang

Der Vortrag wurde von folgenden, jeweils ausführlich kommentierten Musikbeispielen (z. T. in Ausschnitten) ergänzt:

1. Josip Slavenski (1896–1955), Voda zvira, gem. Chor, 1916. Freie Bearbeitung einer Volksmelodie aus Međimurje.
2. Boris Papandopulo (1906), Muka Gospodina našega Isukrsta (Passion unseres Herrn Jesu Christi), Männerchor und 4 Solisten, 1936. Bearbeitung des alten kirchlichen Volksgesanges aus Dalmatien. Jugoslawische Akademie der Wissenschaften und Künste, Zagreb 1974. (Siehe Notenbeispiel S. 85).
3. Josip Slavenski, Allegro pastorale aus der Klaviersonate, 1924. Alte kroatische Weihnachtslieder als thematisches Material. Schotts Söhne Mainz, cop. 1926. (Siehe Notenbeispiel S. 87).
4. Antun Dobronić (1878–1955), Jelšonski tonci (Tänze aus Jelsa), Suite für Streichorchester, 1938. Freie Bearbeitung volkstümlicher Tänze von der Insel Hvar, Dalmatien.
5. Jakov Gotovac (1895–1982), Jadovanka za teletom (Klagelied für das Kalb), gem. Chor, 1924. Komponiert im oligotonischen Stil (Stil der kleinen Intervalle) mit charakteristischen Sekund-Schlüssen der Zweistimmigkeit des gebirgigen dalmatinischen Hinterlandes. Jakov Gotovac: Zborovi a capella, Prosvjetni sabor Hrvatske, Zagreb 1975. (Siehe Notenbeispiel S. 90).
6. Ivan Matetić-Ronjgov (1880–1960), Caće moj (O mein Vater!), gem. Chor, 1933. Komponiert im oligotonischen Stil („istrische Tonleiter"); Klagelied, angeregt durch ein Bergwerk-Unglück in Trobovlje, Slovenien,
7. Krešimir Baranović (1894–1975), Ouvertüre zur komischen Oper Striženo-košeno (Geschnitten oder gemäht), 1932. Koloristischer Orchesterklang mit Zitaten aus Nordkroatischer Volksmusik.
8. Ivan Brkanović (1906), Triptihon, „Volksbrauch beim Tode", für Soli, Chor und Orchester, 1936. Komponiert im Stil der oligotonischen Gesänge mit stilisierten Elementen der volkstümlichen Rhythmik und Aufführungspraxis. In der Tradition von L. Janáček und Strawinskys „Les Noces".
9. Boris Papandopulo, II. Satz, Andante sostenuto, aus der Sonatine für Klavier; stilisierte Elemente orientalischer Musik im postimpressionistischen Satz.
10. Josip Slavenski, II. Satz, Igranje (Tanz), aus dem ersten Streichquartett, 1923. Im Kontrast zur Linearität des ersten Satzes (Pjevanje – Gesang) akkordisch konzipiert, mit atonalen und politonalen Kombinationen; stilisierte Elemente der Volksmusik; (erster Preis in Donaueschingen 1924).

Boris Papandopulo, aus dem Schlußchor des Werkes Muka Gospodina našega Isukrsta

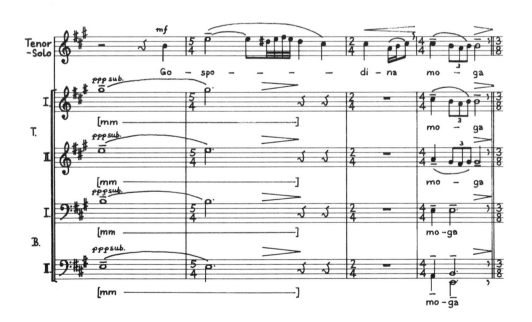

Josip Slavenski, zwei Fragmente aus der Klaviersonate (II. Satz: Allegro pastorale)

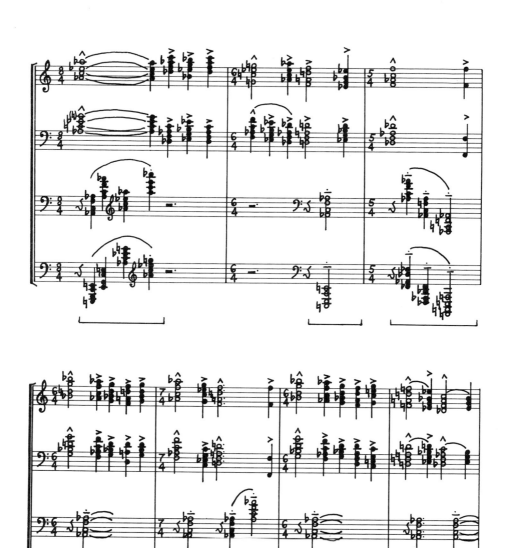

Jakov Gotovac, Jadovanka za teletom (Anfang)

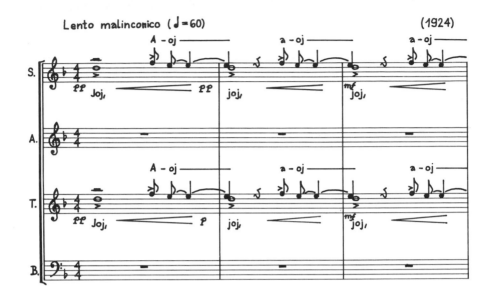

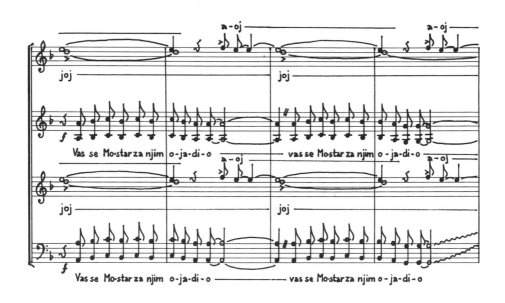

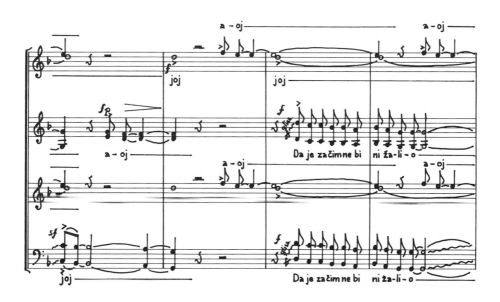

91

Apostolos Kostios

Das Traditionelle in der neugriechischen Musik, historisch und soziologisch betrachtet

Erlauben Sie mir bitte, zunächst die Hauptdaten und Fakten der Geschichte Griechenlands, und zwar der in der griechischen Historiographie sogenannten „Zweiten Periode der Geschichte des Neueren Griechentums" in Erinnerung zu bringen und einen historischen Abriß zu skizzieren, um damit die zeitlichen Grenzen meiner Abhandlung abzustecken.

Nach einer vierhundertjährigen türkischen Herrschaft brach um 1821 die Revolution aus, die zu der Befreiung eines Teiles des griechischen Territoriums und 1827 zu der Konstituierung des griechischen Staates führte. 1832 wurde Otto, der zweitälteste Sohn des Königs Ludwig von Bayern zum König von Griechenland ernannt. 1841 wude Thessalia und ein Teil von Ipiros befreit. 1863 bestieg Prinz Georg Christian Wilhelm von Dänemark den Thron, zugleich wurden die Ionischen Inseln annektiert. Durch die Balkankriege gelang die Befreiung von Makedonia und Thraki. 1917 trat Griechenland in den Ersten Weltkrieg ein. Nach der militärischen Niederlage Griechenlands in Kleinasien um 1922 kam die griechische Bevölkerung dieses Territoriums nach Griechenland. Um 1940 trat das Land in den Zweiten Weltkrieg ein. Soweit die historischen Notizen.

Die beiden im Titel meines Referates eingeführten Termini, d. h. „Traditionelle" und „Neugriechische Musik", sind äußerst schwierig zu definierende Begriffe. Wenn es um das „Griechische" geht, versucht man immer wieder festzustellen, was griechisch in unserer Musik ist, wobei das Patriotische, wenn nicht sogar der Chauvinismus, mitspielen. Es wird etwa an anthropologische Kriterien, unserem Volk und niemandem anderen gehörende Eigenschaften, die in der Musik Ausdruck finden oder an Elemente der näheren bzw. entfernteren Vergangenheit der griechischen Musikkultur erinnern.

Das „Traditionelle" erweist sich ebenso als problematischer Begriff. Fragen wie „Was ist unsere echte Tradition, wie ist sie beizubehalten und zu pflegen?" oder „Was für eine Rolle kann und muß sie für die weitere Entwicklung unserer Musik spielen?" werden gestellt und diskutiert. Dabei wird musikalische Tradition mit musikalischer Kultur verwechselt und man vergißt, daß jede Epoche, jede Generation innerhalb eines bestimmten Raumes ihre eigene Tradition hat, die sich aus der Wahl verschiedener Elemente ergibt, und die auch unvermeidlich verschiedenen Einflüssen unterworfen ist, da ein abgeschlossener Kulturkreis nicht existiert. Dadurch gelangt man zu verwirrenden Charakterisierungen und falschen Beurteilungen, so daß man von der byzantinischen Musik „als unserer eigenen nationalen Musik", von „italienisierender Musik der Ionischen Inseln, die nichts Bedeutendes zu unserer nationalen Musik beigetragen hat", von „unserer echten, autochthonen Volksmusik", von „fremdartigen Musikidiomen, die zugunsten einer Pseudo-Europäisierung aufgenommen wurden" und von Ähnlichem spricht. Vielleicht nicht ohne Gründe; gerade aus der Gegenüberstellung beider Termini „Traditionelle" und „Neugriechische Musik" entstehen Spannungsfelder, die auf die historischen und sozialen Peripetien des Landes hinweisen.

1825 übernahm der französische Colonel Baron Charles-Nicolas Favier (1782–1855) den Oberbefehl der Armee, die für die Befreiung des Landes kämpfte. Eine seiner ersten Bemühungen war die Gründung einer Militärkapelle, die sich aus ausländischen Militärmusikern zusammensetzte. Diese Kapelle hat Ioannis Kapodistrias, der erste Regierungspräsident des griechischen Staates, reorganisiert und durch Berufsmusiker aus dem Ausland vergrößert. 1833 kam König Otto von Navplion, der damaligen Hauptstadt Griechenlands; zu seiner Begleitung gehörte eine bayerische Militärkapelle. Als im Jahre 1834 Athen die Hauptstadt des Landes wurde, folgte die Kapelle dem König in seine neue Residenz. Später wurde ein Teil dieser Kapelle nach Chalkida geschickt, um dort – gelegentlich auch in Argos und Messologi – zu spielen. Neben ihren militärischen Diensten haben diese Kapellen auch öffentliche Konzerte gegeben. Bis zu Beginn des 20. Jhs. hatte fast jede Stadt ihre eigene Kapelle, die hauptsächlich für die Bürger musizierte; das waren die sogenannten „Philharmonikés".

Bis in das erste Viertel des 19. Jhs. hinein war das Volk des griechischen Festlandes, das das Zentrum der politischen, sozialen und kulturellen Entwicklung geworden war, von der musikalischen Tradition Europas unberührt. Das byzantinische Melos und die Volksmusik bildeten die einzigen musikalischen Manifestationen. So wurde es durch die Militärkapellen zum ersten Mal mit der Musik Europas konfrontiert. Denkt man an die Einstimmigkeit des byzantinischen Melos und der Volksmusik, an ihre Mikrotöne, an ihre Rhythmik, an ihre formalen Strukturen, an ihre Aufführungspraxis im Vergleich mit der Polyphonie und Harmonik der europäischen Musik, mit ihren rhythmischen und formalen Strukturen, mit ihrem temperierten Tonsystem, mit ihren Instrumenten, Partituren usw., dann ist verständlich, daß dies auf das griechische Volk in dieser Zeit geradezu schockierend wirkte. Dabei handelte es sich nicht um eine Tradition, um eine Überlieferung von einer Generation zur anderen (zieht man in Betracht, daß nicht nur das musikalische Schaffen, sondern auch die Rezeptionsweise tradiert wird) sondern um eine völlig neue, unbekannte, fremde Pflanze, deren Früchte plötzlich dem Volk angeboten wurden. Es ist ja selbstverständlich, daß man sie jahrelang als eine Kuriosität empfand, daß man Zeit brauchte, um sie zu assimilieren.

Die Militärmusik war nicht der einzige Träger dieses Kulturimportes. Als Athen die Hauptstadt Griechenlands wurde, trat ein neuer Faktor in das Musikleben des Landes. Italienische Operntruppen begannen Athen zu besuchen. Die ersten Opern, die bei dieser Gelgenheit aufgeführt worden sind, waren Rossinis „Il Barbiere di Siviglia" um 1837 und Donizettis „Lucia di Lammermoor" um 1840. Man sagt, nicht ganz unberechtigt, daß in dieser Zeit, als der neukonstituierte griechische Staat vor schwer zu lösenden finanziellen Problemen stand, die kostspielige Einladung von Operntruppen aus Italien eine überflüssige luxuriöse Initiative der damaligen Regierung war, die kein anderes Ziel hatte als die Unterhaltung einer kleinen Gruppe bayerischer Offiziere, ihrer Familien und Diplomaten. Es gibt keinen Zweifel darüber, daß diese Opernaufführungen ein Angebot aus dem kulturellen Leben jener „fremden" Leute waren. Immerhin entsteht die Frage, ob sie ein so breites Publikum ausmachten, daß im Jahre 1839 mehr als hundert Vorstellungen gegeben werden konnten – selbst wenn es sich um ein kleines Theater handelte.

Es sollen also weitere Aspekte berücksichtigt werden, um eine möglichst umfassende Betrachtung der Situation zu gewinnen.

Als Athen die Hauptstadt des Landes geworden war, begann ein dauernd anschwellender Bevölkerungsstrom in sie zu fließen, der nicht nur aus Leuten von dem noch nicht befreiten griechischen Territorium bestand, sondern auch aus Griechen, die jahrelang in Europa gelebt, dessen Kultur erlebt und sie assimiliert hatten. Der königliche Hof, die Vertreter der ausländischen Mächte, die reichen und gebildeten heterochthonen Griechen legten den Grundstein für neue soziale Vorbilder und Verhaltensweisen; zugleich beeinflußten sie die traditionelle Lebensweise der autochthonen führenden Kreise. Darüber hinaus besuchten diese Opernvorstellungen hauptsächlich jüngere Leute, die auch aus außermusikalischem Interesse angespornt wurden, so daß ein breites, vielschichtiges Publikum entstand.

Wie heterogen die Untergruppen dieser Bevölkerung sind, so verschieden sind die Motivationen einer gemeinsamen, doch von vielen Kräften gesteuerten Kulturpolitik, die in dieser Phase der Evolution des historischen Werdens sich der Musikveranstaltungen bediente. Was den königlichen Hof betrifft, ist eine solche Kulturpolitik im Rahmen der Versuche einen modernen, den gegenwärtigen Anforderungen angepaßten Staat zu etablieren, zu sehen. Dabei interpretierten griechische Gelehrte dieser Zeit den Sinn der Revolution gegen die türkische Herrschaft als den Versuch, der den Griechen endlich die Möglichkeit gegeben hat, die Art und Weise des westlichen Lebens zu adoptieren. Zugleich waren sie, im Einverständnis mit den griechischen politischen Kräften, Träger einer Ideologie, nach der Griechenland die Rolle als Vermittler zwischen West und Ost spielen sollte; die Bestimmung des Landes lag darin, die europäische Kultur zu übernehmen und dem Osten weiterzugeben. Darüber hinaus hielt man dieses kulturelle Fortpflanzen für eine unerläßliche Vorbedingung zur politischen Vereinigung mit den im Osten lebenden Gliedern der großen griechischen Familie. Darüber hinaus sollte die kulturelle Europäisierung Griechenlands dazu beitragen, den Einfluß der Großmächte Großbritannien, Frankreich und Rußland auf das Schicksal des Landes zu verstärken und dadurch ihre wirtschaftlichen, strategischen und sonstigen Interessen in der östlichen Welt auszudehnen.

Aus der Einmischung dieser großen Mächte in das politische Leben Griechenlands entstanden zwangsläufig Unzufriedenheiten, die im Kulturbereich als eine parallel laufende Apostrophie gegen das Westliche sichtbar wurden. Beweis dafür sind Ausdrücke wie folgende, die in variierender Weise in den schriftlichen Quellen der Zeit vorkommen: „Es kann nicht sein, daß Griechenland über die materielle Tyrannie des Ostens wegkam, um der geistigen Tyrannie des Westens zu verfallen". Derartige Thesen führten zu einer Ideologie der Autarkie.

Unter solchen historischen Bedingungen etablierte sich die europäische Musik mit Militärkapellen und italienischen Operntruppen in Griechenland. Es handelte sich dabei um neue Anstöße, die allmählich Wurzeln schlugen und von Leuten gepflegt wurden, die sich in Griechenland niederließen und fortan als ausübende Musiker und Musikpädagogen in ihrer neuen Heimat wirkten. Seitdem war und ist dieses Kulturelement präsent, sodaß, wenn vom „Traditionellen" in der neugriechischen Musik gesprochen wird, auch die europäische Musik in der beschriebenen Weise miteinbezogen werden muß.

Die neuen Anstöße wuchsen weit in das 19. Jh. hinein nahezu in Abgeschlossenheit, zugleich unter dem Stern einer Zwiespältigkeit, die auch von sozialen Bedingungen verstärkt wurde. Der Revolutionskämpfer General Makrygiannis, eine der führenden Persönlichkeiten dieser Zeit, schrieb in seinen Memoiren: „Ihr Parteien wolltet, daß ein Theater existiert; das habt ihr auch gemacht um uns damit das zügellose Leben zu lehren... Auch die Jungen, die... zur Schule geschickt werden, um

Kenntnisse und Tugend zu erwerben, sind nach der Gesangsweise und nach der Ethik des Theaters erzogen".

Daß derartige Äußerungen einen breiten Anklang fanden, daß es viele Leute gab, die in dieser Weise dachten, zeigte sich, als viel später Dionysios Lavrangas (1860–1941), einer der Initiatoren für die Begründung der griechischen Operninstitution, einen Frauenchor zusammenzusetzen versuchte. Er fand unter den höheren sozialen Schichten niemanden, der den Mut hatte und bereit war, den „ethischen Tadel" zu ignorieren und auf der Opernbühne zu stehen!

Daß Lavrangas die Mitglieder eines Chores unter den Leuten der höheren sozialen Schichten suchte, spricht von einem anderen sozialen Aspekt, der berücksichtigt werden sollte. Ich würde den Rahmen dieses Referates überschreiten, wenn ich darlegen wollte, wie und unter welchen Bedingungen nach der Konstituierung des griechischen Staates die starke Landfluchtströmung ausgelöst wurde, wie schnell der Bürgerliche Stand aufkam, unter welchen politischen, wirtschaftlichen, kulturpolitischen Voraussetzungen und unter welchen Ausbildungssystemen eine soziale Schicht geformt wurde, für die die europäische Musik fast ein Privileg, zugleich ein Prestigezeichen ihres Wohlstandes geworden war. Man sollte natürlich nach den damaligen Sitten des europäischen Musiklebens bei musikalischen Veranstaltungen passend angezogen sein, für die Karten zahlen, Zeit und die nötigen finanziellen Mittel bereitstellen, um diese Musik bei Privat-Lehrern bzw. Konservatorien studieren zu können. Einige Zitate aus Zeitungsberichten dieser Zeit zeigen nicht nur eine gewisse Polemik gegen die Direktion des Athener Konservatoriums, sondern führen uns auch in die Problematik, wie sie hier gemeint ist, hinein: „Schade, daß bis jetzt das Odeion Athinon eine anti-völkische Politik ausübt... Einerseits sind seine Türen... für die Volksschichten hermetisch verschlossen, andererseits sind Tür und Tor offen für die Plutokratie, so daß das Volk in Unprivilegierte und Privilegierte geteilt wird... Das Schulgeld ist höher geworden, damit die Exklusivität des Konservatoriums für die reiche Klasse bewahrt wird. Wo denn? In unserem Land, wo noch der amané herrscht... Es könnte sein, daß eine Musik-Volksschule für die mittleren und niedrigeren Klassen gegründet wird... Die... Konzerte genießt wegen ihrer kostspieligen Karten nur die goldhaltige Klasse..." (Athener Zeitung „Esperini" vom 15. 11. 1889). „Es sollte die Musik im Schulprogramm Platz finden..." („Esperini" vom 14. 7. 1911) „⅞ der Schüler und der Schülerinnen des Konservatoriums gehören der höheren Klasse und nicht zu jenen der völkischen Klasse" (Anmerkung der Zeitung: „Laut Statistik auf Grund der Schülerlisten des Konservatoriums") (Athener Zeitung „Néa Iméra" vom 26. 11. 1914).

Diese klassenmäßige Entwicklung des Musiklebens in Griechenland war am klarsten durch die Gegenüberstellung von Stadt und Dorf zu beobachten. Die Bauern blieben im ganzen 19. Jh. hindurch unberührt von den Errungenschaften der europäischen Musikkultur, eine Situation, die sich bis in die ersten Jahrzehnte des 20. Jhs. kaum geändert hat. Noch im Jahre 1935, als der griechische Dirigent Dimitri Mitropoulos zum ersten Mal Konzerte außerhalb Athens dank der Unterstützung einer Natur-Gesellschaft geben konnte, hat er bei dieser Gelegenheit sein ideologisches Programm so manifestiert: „Der wahre, inspirierte Naturfreund ist nicht nur der, der pathetisch die Schönheit der Natur genießt, sondern derjenige, der in sich den Pionier einer neuen humanistischen Bewegung verkörpert: er stellt die soziale Verbindung wieder her zwischen Stadt und Land, zwischen kultivierten und weniger gebildeten Leuten".

Man kann also bis Ende des 19. Jhs. von koexistierenden Traditionselementen im Raum des griechischen Festlandes sprechen, nicht aber von Traditionskomplexen bzw. von Wechselwirkungen zwischen der europäischen verpflanzten und der lokalen Tradition der byzantinischen Musik und der Folklore. Was aber innerhalb des befreiten Territoriums Griechenlands erst später geschah, hat schon früher auf den Ionischen Inseln, in mehreren europäischen Städten, auch in Konstantinopel und in den größeren Städten Kleinasiens, wo noch Griechen lebten, begonnen. Unter anderen historischen und sozialen Bedingungen lebend, konnten diese griechischen Leute durch direkte Konfrontation mit dem Musikgut Europas, durch das Studium an europäischen Musikschulen, durch das langjährige Zusammenleben und Verhandeln mit Europäern, darüber hinaus dank ihres Wohlstandes der westlichen Musik näher kommen, so daß ihr eigenes Musikleben mehr oder weniger das Feld einer solchen Wechselwirkung wurde. Besonders gilt das für die Ionischen Inseln. Nicht nur ihre geographische Lage, sondern auch ihr geschichtliches Schicksal – sie befanden sich unter der Herrschaft der Venezianer, später der Franzosen und der Engländer – brachte sie dem Westen näher. Bezeichnenderweise hatte es in Korfu ein Theater gegeben (San Giacomo), in dem Rossinis Oper „Semiramide" schon im Jahre 1826 aufgeführt worden ist. In derselben Stadt sind mehr als hundertzwanzig Jahre alte Orchestermaterialien aufgefunden worden, darunter auch Werke von W. A. Mozart. Interessant wäre noch zu erwähnen, daß anläßlich der Eröffnung des Volkstheaters am 7. Dezember 1902 in derselben Stadt „Lohengrin" von Richard Wagner aufgeführt wurde.

Diese Umstände waren sicher wesentlich für die Entstehung der sogenannten Schule der Ionischen Inseln, die Komponisten wie Nikolaos Manzaros, Paul Carrer, Spyros Samaras, Edouard Lambelet u. a. hervorgebracht hat.

Das über Wechselwirkung Gesagte möchte ich Ihnen anhand von drei Beispielen demonstrieren:

Zunächst hören wir eine „Καντάδα". Die Καντάδες waren Volksgesänge der Ionischen Inseln, die von einem drei- bzw. vierstimmigen Männerchor improvisatorisch (was die Harmonisierung betrifft) gesungen wurden und die sowohl ethymologisch (vom italienischen canto/cantare) wie auch durch ihre melodische und harmonische Gestaltung die Einwirkung der westlichen Musik hörbar machen.

Ein zweites Beispiel zeigt den Aufstieg der Folklore bzw. der Volksweise in der professionellen Musik: die Komposition für tiefe Stimme und Orchester Ο Γερο-Δήμος von Paul Carrer, der in Zakynthos um 1829 geboren, ebenda um 1896 gestorben und in Frankreich, England und Italien ausgebildet worden ist.

Ein drittes Beispiel habe ich aus dem Bereich der kirchlichen Musik entnommen; es handelt sich dabei um einen Hymnus aus der griechisch-orthodoxen Messe, die Nikolaos Manzaros (geb. 1795, gest. 1872), Schüler von Nikola Antonio Zingarelli, komponiert hat, wobei die monodische Struktur des byzantinischen Melos durch die harmonische ersetzt wurde. Dazu ist die Begleitung des Harmoniums zu hören. Obwohl die griechisch-orthodoxe Kirche nicht nur aus religiös-ethischen bzw. dogmatischen Gründen, sondern auch, weil sie durch ein solches Eindringen die Gefahr ihrer Unterordnung unter das Papsttum sah, diese Europäisierung abgelehnt hat, haben sich diese Neuheiten in Venedig, Neapel, Florenz, Wien und anderen Städten Europas, wo Griechen lebten, verbreitet. Ein Beispiel dafür ist die Sammlung (s. folgende Abbildung) „Gesänge der Heiligen Liturgie..."

ΥΜΝΟΙ

τῆς

ΘΕΙΑΣ ΛΕΙΤΟΥΡΓΙΑΣ

κατὰ τὰς μελῳδίας τῆς ἀρχαίας ὑμῶν
ἐκκλησιαστικῆς μουσικῆς
προτεθεῖσας ὑπὸ

ΙΩΑΝΝΟΥ Χ. Ν. ΧΑΒΙΑΡΑ,

Πρωτοψάλτου τῆς ἐκκλησίας τῆς ἁγίας Τριάδος,

καὶ τετραφώνως μελοποιηθεῖσας μὲ ἑκούσιον συνο-
δίαν τοῦ Κλειδοχόρδου
ὑπὸ

Β. ΡΑΝΔΑΡΤΙΓΓΕΡ,

ὑποδιευθυντοῦ τῆς τῶν ἐν Βιέννῃ ἀνακτορίων Κ. Β. Κα-
πέλης, Ἱππέος τοῦ Λ. τάγματος τοῦ ἁγίου Λουδοβίκου,
κ. τ. λ.

Gesänge
der heil.

LITURGIE,

mit Beibehaltung der von dem Vorsänger der griechischen Kirche
zur heiligen Dreifaltigkeit

JOHANN CH. N. CHAVIARA

angegebenen Original-Melodien

für vier Singstimmen,

(mit willkührlicher Begleitung des Piano-Forte)

in Musik gesetzt von

B. RANDHARTINGER,

k. k. Vice-Hofkapellmeister,

Ritter des L. St. Ludwigordens, etc.

Abb.: Gesänge der Heiligen Liturgie… (Titelblatt)

Als sich nach der Konstituierung des griechischen Staates viele der im Ausland lebenden Griechen im Land niederließen, brachten sie neue musikalische Elemente mit. Dazu kamen nach der Annektierung der Ionischen Inseln Fachleute, die in den größeren Städten des Festlandes als Komponisten und Musikpädagogen wirkten, Musikveranstaltungen organisierten, Musikschulen etablierten und Orchester zusammenstellten. Mit dem Eintritt ins 20. Jh. zeigen sich die musikkulturellen, zugleich auch die historischen und sozialen Bedingungen anders: das rasche Wachstum der bürgerlichen Klasse infolge der Industrialisierung und der Entwicklung des Handels, das Verteilen des Landgutes der großen Besitzer an die besitzlosen Bauern, die Auflösung der Monarchie und die Einführung einer Staatsverfassung, die Fortsetzung der Versuche für die Befreiung der unterworfenen Griechen, all dies gab den Rahmen für die Herauskristallisierung einer neuen Ideologie, welche die Diskrepanz zwischen autochthonen und heterochthonen Griechen ausgelöscht und die Ideen der Aufklärung, die letzten Endes zu einer sterilen Ahnensucht geraten waren, überwunden hat. Diese Ideologie stützte sich auf zwei Grundsteine: erstens, das griechische Volk konnte verschiedenen Einflüssen unterworfen werden, sie assimilieren, umwandeln und ihnen griechische Physiognomie geben; zweitens, sowohl Altes Griechenland, Hellenismus, Byzantinisches Reich und Neues Griechenland stellen ununterbrochene, ineinander verzahnte historische Phasen des Griechentums dar. Musikalische Beispiele dafür sind die „Symphonie tis leventiás", die Manolis Kalomiris (1883–1962) um 1920 komponiert hat, wobei das Byzantinische und das Abendländische gemeinsam verkörpert sind, wie auch das Thema und die erste Variation aus dem Werk von Antiochos Evangelatos (1903–1981) „Variationen und Fuge über ein griechisches Thema", wobei das Thema aus dem Volksgut entlehnt wurde.

Unter den vorher beschriebenen kulturellen, geschichtlichen und sozialen Bedingungen ist erst seit den ersten Jahrzehnten des 20. Jhs. die europäische Musik für Griechenland Tradition geworden. Sie gehört zusammen mit der byzantinischen, der Volksmusik und der volkstümlichen Musik zu den Manifestationen der neugriechischen Musik. Versuche für unabhängige Pflege der Traditionselemente sind festzustellen; sie spiegeln die geschichtlichen und sozialen Peripetien des Volkes innerhalb eines langjährigen historischen Werdens, das immer zwischen Ost und West abläuft. Es kamen Zeiten, in denen man den Beitrag des Komponisten Samaras zu der Entstehung des Verismus ignorierte und in einem ethnozentrischen Klima seine Musik als nicht-griechisch empfunden hat. Es kamen Zeiten, in denen das Volksgut – eng mit dem Leben unter der vierjundertjährigen türkischen Herrschaft verbunden – abgelehnt wurde, als der Schwerpunkt des Schaffens auf die Musik der sogenannten Griechischen Nationalen Schule fiel. Wichtig ist, daß trotzdem, oder gerade deswegen, eine an dynamischen Elementen reiche Musik gepflegt und tradiert wurde und daß über kurz oder lang jede musikalische Manifestation, gemäß ihres Wertes Platz im ästhetischen Raum nimmt. Niemand weiß, – abgesehen von Fachleuten – daß der Marsch Μαύρ ’εἶν ’ή νύχτα στά βουνά (Dunkel ist die Nacht auf den Bergen), der noch heute aufgeführt wird, ein bayerischer Marsch von Ernst Mangel ist, und, was von besonderer Bedeutung ist, niemand empfindet ihn als fremdes Stück.

Bibliographie

Ἱστορία τοῦ Ἑλληνικοῦ Ἔθνους (Geschichte der Griechischen Nation) Bd. 13, Athen 1977.

Chamoudopoulou, Dimitriou, Ἡ ἀνατολή τῆς ἔντεχνης μουσικῆς στήν Ἑλλάδα καί ἡ δημιουργία τῆς Ἐθνικῆς Σχολῆς (Der Anfang der Kunstmusik in Griechenland und die Entstehung der Nationalen Schule), Athen 1980.

Drosinis, Georgios, Γεώργιος Νάζος καί τό Ὠδεῖον Ἀθηνῶν (Georgios Nazos und das Odeion Athinon), Athen 1938.

Laskari, Nikolaou, Ἱστορία τοῦ Νεοελληνικοῦ Θεάτρου (Geschichte des Neugriechischen Theaters), Athen 1938.

Lavrangas, Dionysios, Ἀπομνημονεύματα (Memoiren), Athen o. J.

Motsenigos, Spyros, Νεοελληνική Μουσική (Neugriechische Musik), Athen 1958.

Nef, Karl, Einführung in die Musikgeschichte. Griechische Übersetzung und Anhang von Fivos Anogianakis, Ἱστορία τῆς Μουσικῆς, Athen 1960.

Papadimitriou, Vassilios, Νεοελληνική Μουσική Κουλτούρα (Neugriechische Musikkultur), in: Τό Θαῦμα τῆς καλλιτεχνικῆς Δημιουργίας (Das Wunder des künstlerischen Schaffens), Athen o. J.

Kostios, Apostolos, Der Dirigent Dimitri Mitropoulos. Diss. Musikwiss. Institut der Universität Wien, 1980.

Kalomiris, Manolis, Die Musik Mozarts in Griechenland: Bericht über den Internationalen Musikwissenschaftlichen Kongreß Wien Mozartjahr 1956, Graz-Köln 1958.

Athener Zeitungen: Ἑσπερινή (15. 11. 1899/14. 7. 1911), Καιροί (14. 11. 1909/14. 3. 1914), Νέα Ἡμέρα (26. 11. 1914).

Speranța Rădulescu

Erscheinungsformen der Einstimmigkeit im rumänischen Volkslied

Bedeutungsvielfalt der Begriffe Formenreichtum und Einstimmigkeit: Unsere Leser stellen sich sicherlich die Frage, welches hier der Sinn des Begriffs Formenreichtum ist. Ob es der allgemeine und irgendwie unspezifische Sinn für die Diversität sei, oder ein engerer, der die Formalaspekte des rumänischen Volksliedes in allen seinen Ausdrucksarten umfaßt? Doch der Begriff Einstimmigkeit – bezieht er sich auf die Einheit als dialektische Ergänzung der Diversität, oder auf die begrenzte, rein musikalische Realität der Einstimmigkeit als Gegensatz zur Mehrstimmigkeit?

In unserer Studie beziehen wir uns vorwiegend auf den zweiten spezifischen Sinn der beiden Termini. Folglich behandelt diese Studie die Formkoordinaten der Einstimmigkeit in der rumänischen Folklore, ohne die Beziehung Einheit – Diversität zu mißachten, die im Rahmen des Nationalmelos hervorgehoben werden kann.

Die Einstimmigkeit ist die Kategorie klanglicher Phänomene – (rumänische Ethnomusikologen haben sie „syntaktische Kategorie" benannt[1]) – durch die der (in Bezug auf sein Alter und seine nationale Eigentümlichkeit) reichhaltigste und kennzeichnendste Teil der rumänischen Musikfolklore, d. h. die Folklore der traditionellen Dorfgemeinschaften, zum Ausdruck gelangt. Die Einstimmigkeit, für rumänische Ethnomusikologen ein bevorzugter Forschungsbereich, ist daher das Thema vorliegender Ausführungen. Von Anfang an muß jedoch der Unterschied zwischen tatsächlichen und beabsichtigten einstimmigen Erscheinungen gemacht werden. Erstere sind fast ausschließlich das Ergebnis solistischer Darbietungen, während letztere bei Ausführungen durch eine Gruppe entstehen. Mögen einstimmig-monodische Absichten auch noch so deutlich erkennbar sein, so bewirkt Gruppenmusizieren (vor allem im Falle bestimmter Ritualgesänge) immer eine gewisse Veränderung der Einstimmigkeit, eine allmähliche Entwicklung in Richtung Mehrstimmigkeit (Heterophonie). Es ist schwierig, eine feste Abgrenzungslinie zwischen den Erscheinungen, die noch im Bereich der Einstimmigkeit angesiedelt sind und jenen, die schon unzweifelhaft zur Mehrstimmigkeit zählen, zu ziehen.

Trotz enormer Vielfalt ihrer Erscheinungsformen, ist die rumänische Vokal- und Instrumentalmelodik im gesamten rumänischen Gebiet als sehr einheitlich zu bezeichnen. Die in erster Linie von den besonderen technischen Möglichkeiten der Musikinstrumente und der menschlichen Stimme bewirkten Eigentümlichkeiten beziehen sich auf weniger entscheidende Aspekte und können größtenteils vernachlässigt werden. Wir versuchen die einheitlichen strukturellen Grundlagen der Einstimmigkeit aus der Perspektive dreier Ebenen zu verdeutlichen: a) der Modi und ihrer untergeordneten rhythmischen Wendungen, b) der konventionellen und typischen melodisch-rhythmischen Wendungen, c) der musikalischen Formen. Die auf diesen Ebenen erkennbaren hervorstehenden Eigenschaften bedingen einander einerseits, hängen aber andererseits in unterschiedlichen Verhältnissen von der vokalen oder instrumentalen Gattung ab, welcher die jeweiligen Melodien zugeordnet werden. Den stärksten Einfluß üben diese Gattungen auf die Formenwelt dieser Lieder aus, die modalen Strukturen hingegen, denen wir hier den Vorrang einräumen, sind praktisch nicht differenziert.

Beispiel 6

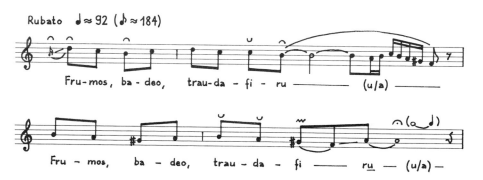

Bei Melodien neueren Datums trifft diese Einteilung vollauf zu, bei alten oder sehr alten Melodien hingegen ist die „funktionelle Unbestimmtheit" der Stufen und folglich auch die Fähigkeit der Tonarten, sich klar zu umreißen, gering. Die meisten Schlüsse (Finales) der Lieder bilden die Töne D oder E.

Das rumänische Tonartsystem ist an sich kein eigenständiges, spezifisch rumänisches. Unverkennbar ist die Verwandtschaft mit den Tonsystemen der übrigen Balkanvölker. Aus dieser Perspektive gesehen erhält das rumänische modale Tonartensystem aber dennoch Bedeutung durch seine typischen melodischen Wendungen und vor allem durch das vielfältige Ineinandergreifen rhythmischer Systeme und Strukturen, durch seine Verzierkunst und den musikalischen Aufbau der Lieder. Diese Bemerkung gilt auch für alle anderen Formelemente, die hier besprochen und analysiert werden.

Rhythmische Systeme

Man hat bisher fünf unterschiedliche rhythmische Systeme erkannt, die teils parallel zueinander, teils in Überlagerungen existieren: das giusto-syllabische[5] (oder parlando giusto), das parlando rubato[6], Aksak-Rhythmen[7], das Divisionssystem (ein nach dem Taktprinzip geordnetes System) und das rhythmische System der Kinder. Das Divisionssystem – jenes der klassischen westeuropäischen Musik – und das rhythmische System der Kinder sind universell; eine besondere Darlegung dieser Systeme erübrigt sich; letzteres wurde vom Ethnomusikologen Constantin Brăiloiu in seinem wissenschaftlichen Werk „La rythmique enfantine" (Originalausgabe in französischer Sprache[8]) theoretisiert. Es muß präzisiert werden, daß das Divisionssystem grundsätzlich die rhythmische Entfaltung eines Teils der instrumentalen und vokalen Tanzmelodik beherrscht, seinen Einfluß jedoch auch auf andere Melodiekategorien ausübt.

Constantin Brăiloiu formulierte in seinen für die rumänische Musikethnologie grundlegenden Schriften als erster die Begriffe der rhythmischen Systeme „giustosyllabisch" und „Aksak" und beschrieb sie ausführlich. Hier nun eine kurzgefaßte Darstellung dieser Systeme.

Das „giusto-syllabische" oder „parlando-giusto"-System entwickelte sich in direktem Zusammenhang mit den gesungenen (isometrischen, trochäischen, sechs- oder achtsilbigen) Volksversen. Es ist ein System, das auf zwei rhythmischen Einheiten, die im quantitativen Verhältnis 1:2 zueinander stehen, basiert. Ihre Notation erfolgt in herkömmlicher Weise mit Achtel- und Viertel-Werten.

Diese Einheiten vereinigen (assoziieren) sich relativ frei zu monopodischen und dipodischen Versfußverbindungen (meist Halbversen entsprechend), zu ganzen Melodiezeilen, Strophen und Episoden.

Innerhalb dieser Einheiten (1:1) sind hin und wieder auch melismatische Formeln anzutreffen, die jeweils einer Silbe zugeordnet sind. Das parlando-giusto System beherrscht (teilweise oder vollständig) die rhythmische Struktur einiger Ritualgesänge (vor allem Weihnachtslieder), sowie lyrischer und epischer Lieder (siehe Beispiel 15).

Die Einheiten des „Aksak"-Systems (üblicherweise als Achtel und punktierte Achtel notiert) stehen in einem quantitativen Verhältnis von 2:3. Dieses System entsteht in Verbindung mit instrumentaler Tanzmelodik, die sich im allgemeinen durch Regelmäßigkeit und Symmetrie auszeichnet. Infolgedessen ist die Verknüpfung seiner Grundelemente in rhythmische Gruppierungen höherer Rangordnung nicht mehr verhältnismäßig frei, wie es im giusto-syllabischen System der Fall ist, sondern beherrscht von Gruppen rhythmischer Modelle („patterns").

Diese rhythmisch-schematischen Formeln bestimmen jeweils einen gewissen, musikalisch-choreographischen Typ:

Volkstänze

„geampara":

„şchioapă":
(hinkend)

„cadîneasca":

„brîu bănăţean"
(ein Banater Volkstanz):

„învîrtită":

„purtată":

Die rhythmischen Grundformeln umfassen im allgemeinen einen Takt, sind wiederholbar und gruppieren sich im weiteren Verlauf zu Melodiezeilen (meist symmetrisch geordnete Viertakter), sowie größeren formalen Einheiten. Das starre metrisch-rhythmische Grundgerüst besteht aus Formeln, deren Vielfalt durch einfache oder ungewöhnliche Unterteilung der Grundwerte erreicht wird:

Beispiel 7

In weniger prägnanten Formen drang das „Aksak"-System auch in die Vokalmusik, in die sogenannten „Tanzlieder" ein. Das parlando-rubato-System – dessen Auswirkung sowohl in der Vokalmusik als auch in der Instrumentalmusik zu beobachten ist, wird durch die Mobilität der Verhältnisse der Tondauer, die häufig durch irrationale Zahlen ausgedrückt werden, gekennzeichnet. Diese Verhältnisse werden einerseits vom allgemeinen musikalischen Zusammenhang, andererseits von der augenblicklichen Inspiration der Ausführenden frei bestimmt. Der Rubato-Vortrag verwendet Beschleunigungen und Entspannungen der pulsierenden Rhythmen und wird von feinen ausgleichenden Mechanismen gesteuert, die, gleichzeitig oder aufeinanderfolgend, auf verschiedenen Ebenen syntaktisch gefügter Gruppierungen agieren. Diese rhythmischen Verdichtungen und Dehnungen bilden jedoch ein Gleichgewicht und stellen ein teils freies, teils kontrollierbares, aber äußerst subtiles Spiel von Nuancen dar. Auf welche Weise die regulierenden Mechanismen funktionieren, kann man nur ahnen. Eine Gesetzmäßigkeit konnte noch nicht herausgefunden werden. Eine vollständige und zusammenhängende Theoretisierung (wie es im Falle der übrigen rhythmischen Systeme möglich war)[9] ist bisher noch nicht gelungen. So konnte beispielsweise noch nicht geklärt werden, welches die Grundeinheiten des Systems sind, die o. a. rhythmische Schwankungen bewirken. Dennoch hat die Praxis der Transkription die Tatsache hervorgehoben, daß es zwei unterschiedliche Rubato-Kategorien gibt: die erste weist eine einheitliche Viertel-Pulsation auf, eine Pulsation die entlang des selben musikalischen Textes in verhältnismäßig breiten Grenzen schwingt; die zweite – in drei Unterkategorien aufgeteilt – scheint das Ergebnis der freien Behandlung der Werte der einen oder der anderen der drei „giusto-"Arten zu sein: der Divisions-Rhythmen, des „syllabischen" und des „Aksak"-Typs.

Die diversen Rubato-Gattungen des einfachen rumänischen Liedes treten oft gemischt in Erscheinung. Bei komplexeren Strukturen – etwa der epischen Lieder und der „Doina" überlagert sich das Rubato mit „giusto-syllabischer"-Diktion oder mit Divisions-Rhythmen, wobei sich freiere und strengere rhythmische Strukturen abwechseln.

Beispiel 8 (Siehe auch die Beispiele 3, 4, 6, 11, 12, 13)

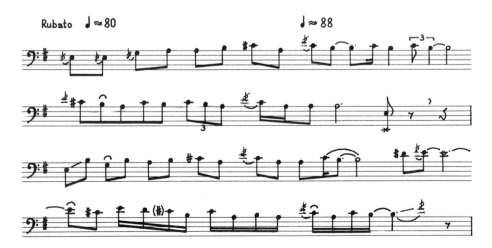

Über das Alter dieser rhythmischen Systeme läßt sich kaum etwas sagen, noch weniger über mögliche entstehungsgeschichtliche Verbindungen. Denn in manchen Landesteilen (wie z. B. im Süden Siebenbürgens) gehören die rhythmisch schmiegsamen und reich ornamentierten Melodien älteren Folkloreschichten an, während sich das „Rubato" im westlichen Banat in jüngster Zeit entwickelt zu haben scheint. Zwischen den rumänischen rhythmischen Systemen und den Folklore-Tonarten bestehen theoretisch keine inneren Zusammenhänge oder gesetzmäßigen Abhängigkeiten. Rhythmische Gruppierungen, die dem giusto-syllabischen System zuzuordnen sind, (und damit greifen wir dem folgenden Abschnitt vor) verbinden sich vorzugsweise mit einfacheren, schematischeren melodischen Wendungen; Das Rubato hingegen oder rubatisierte Rhythmen verbinden sich vorzugsweise mit melismatischer, reich ornamentierter Melodik; Rhythmen, die sich in herkömmlichen oder asymmetrischen Takten (Aksak) herstellen lassen, verbinden sich mit melodischen Linien veränderlicher Komplexität. Diese ist bei Rubato-Melodien nicht so häufig zu beobachten und meist abhängig von den jeweiligen Liedgattungen.

Konventionelle melodisch-rhythmische Wendungen (melodisch-rhythmische Formeln)

Die zweite strukturelle Ebene, auf die wir uns in der vorliegenden analytisch-synthetischen Erforschung beziehen, ist die der melodisch-rhythmischen Formeln, der stereotypen Wendungen, die im Aufbau einer riesigen Anzahl verschiedener Melodien vorkommen. Diese melodisch-rhythmischen Muster mit modellhaftem Charakter bewirken die Entstehung gleichartiger Strukturen. Ihre melodische Komponente ist im allgemeinen deutlicher umrissen; die rhythmische Komponente (abhängig vom giusto- oder rubato-System), erweist sich demzufolge als mehr oder weniger klar konturiert. Von dieser „Regel" weichen diejenigen instrumentalen Tanzmelodien ab, deren „Formeln" auf metrisch-rhythmischer Ebene klar definierbar sind. Diese melodisch rhythmischen Wendungen (die „Formeln") stellen das Bindeglied zwischen Tonarten, rhythmischen Systemen und musikalischem Aufbau dar und werden damit zur Konvention. Die Ausmaße der Formeln variieren von monopodischen Versfußverbindungen (oder von ihrer Entsprechung in der Instrumentalmusik: der Zelle) über zweizeilige melodische Gruppen bis hin zur Halbzeile (= Motiv) und Melodiezeile (= Phrase).
Es ist unmöglich, alle melodisch-rhythmischen Wendungen (Formeln) aufzulisten; denn das schriftliche Fixieren einer Formel bedeutet, diese aus dem Virtuellen ins Konkrete zu übertragen und aus der Menge ihrer möglichen Erscheinungsformen eine aufzuzeigen. Wir beschränken uns folglich auf einige allgemeine Betrachtungen, die von Beispielen erläutert werden:

a) es gibt Formeln, die sich besonders mit einem gewissen architektonischen Strukturtyp verknüpfen (= eine gewisse folklorische Musikgattung[10]); andere hingegen sind weniger ausgeprägt und kommen in Melodien vor, die verschiedenartigen Gattungen angehören:

Die Tongruppe (Beispiel 9 a)

a)

könnte beispielsweise ebenso gut einer Doina, einem lyrischen oder einem epischen Lied entstammen. Diese Tongruppe

b)

bildet hingegen eine Formel, die sich sowohl in der „Doina", als auch in den klassischen epischen Liedern wiederfindet.
Und das Beispiel 9 c

c)

kennzeichnet eine Formulierung die nur für die „Doina" typisch ist.
b) Weniger zahlreich sind kurze Formeln; da sie unspezifischer sind, verfügen sie über viele Kombinationsmöglichkeiten. Entwickeltere Formeln sind zahlreicher anzutreffen und an einen bestimmten musikalischen Aufbau (musikalische Gattung) gebunden. Die Kombinationsmöglichkeiten der Formeln schwanken folglich in umgekehrt proportionalem Verhältnis zu ihren Ausmaßen (Längen).
c) Die Wertigkeit der Kombinationsmöglichkeiten in einem bestimmten melodischen Zusammenhang kann verschieden sein. So ist beispielsweise die Tongruppe

d)

für gesungene Lieder kennzeichnend, kann jedoch gelegentlich auch in anderen Gattungen vorkommen. Sie bildet innerhalb des Liedes immer den Schluß einer Melodiezeile (mit Ausnahme der Zeile, die die Strophe abschließt); am häufigsten ist sie vor der Hauptzäsur der Melodie anzutreffen (siehe Beispiel 5).
Die Tongruppe: (Beispiel 9 e)

e)

bildet eine typische Schlußwendung des „cîntecul propriuzis"; in seltenen Fällen kann sie auch in der eröffnenden Melodiezeile auftreten (siehe Beispiel 3).

Formeln dieser Art können in kürzeren oder längeren Tongruppen auftreten (durch Dehnung oder Verkürzung rhythmischer Werte, aber auch durch Hinzufügen oder Weglassen einiger Töne). Das parlando-rubato-System begünstigt dank seiner flexiblen rhythmischen Wandelbarkeit in besonderem Maße Dehnungs- und Verdichtungsvorgänge. Wir wollen nicht näher darauf eingehen, da es klar sein dürfte, daß der Umfang unseres Exposés die Darstellung der ganzen Problematik der melodisch-rhythmischen Formeln nicht zuläßt, geschweige denn erschöpfend sein kann. Daher müssen wir uns auf die Feststellung beschränken, daß die große Zahl der Kombinationsmöglichkeiten dieser melodisch-rhythmischen Formeln eine stereotype Anwendung auf alle Formen der Melodiebildung verhindert. Diese reichhaltigen Erscheinungsformen bewirken schließlich die Einmaligkeit jeder einzelnen Formel (Tongruppe, Syntagma). Das heißt, die Konventionalisierung dieser melodisch-rhythmischen Wendungen beeinträchtigt ihre vielfältigen Erscheinungsformen nicht, sondern begrenzt sie auf ein überschaubares Maß.

Der musikalische (melodische) Aufbau

Zuletzt wollen wir uns dem musikalischen (melodischen) Aufbau zuwenden. Die Abhängigkeit der musikalischen Formen von den vokalen oder instrumentalen Gattungen des Volksliedes ist deutlich zu erkennen, wobei bestimmte Formkategorien ausschließlich in der Vokal- oder Instrumentalmusik anzutreffen sind und unter dem Einfluß der jeweiligen Gattung ihre Eigenheiten hervorkehren.

Die Formen einstimmiger rumänischer Lieder können nach verschiedenen Gesichtspunkten eingeteilt werden, wobei jedes Kriterium eine mögliche Erörterung zuläßt. Den Formen vokaler Gattungen wie das Lied, die „Doina", das epische und das Klagelied, stehen Formen instrumentaler Gattungen wie die Tanzlieder oder Alphornrufe gegenüber.[11] Es lassen sich drei Form-Gruppen erkennen: feste Formen, freie Formen und jene der elastisch veränderbaren Formen; ihrer Funktion nach sind die Formen der „Doina", des Tanzes, der Klagelieder, der Alphornrufe („buicum") und der Kinderlieder streng gebunden an bestimmte Themenkreise –, während sich das „lyrische Lied" und das „Weihnachtslied", die „colinda" (deren Formen in Siebenbürgen und im Banat vom „Klagelied", bzw. einigen epischen Liedern herrühren) weniger streng zwischen verschiedenen Themenkreisen ausbreiten.

Immer ist also eine Verbindung zwischen musikalischer Form und Themenkreis (Funktion, Inhalt) zu erkennen. Mit dem Wissen um diese gegenseitige Abhängigkeit wollen wir uns jetzt jenen Formen zuwenden, die durch ihr häufiges Vorkommen, ihre weite Verbreitung (auch in der Gegenwart) bezeichnend für die rumänische musikalische Folklore sind: das Lied, die „Doina", das epische Lied (oder Ballade) und der Tanz.

Das eigentliche „lyrische Lied" ist eine robuste und anpassungsfähige Gattung, die die Fähigkeit besitzt, Elemente aus jenen Volksmusikgattungen aufzunehmen, deren Lebensfähigkeit im Sinken begriffen ist. Es kann sich auf jede Tonart oder Tonartkombination, auf jedes rhythmische System oder jede Kombination von rhythmischen Systemen stützen. Allein der melodische Strophenbau weist mit seiner meist festen Form des Strophenliedes (das Variantenbildungen nur im melodisch-rhythmischen Detail zuläßt) eine gewisse Starrheit auf. Die Strophe umfaßt zwei bis sieben Melodiezeilen (ihre genaue Anzahl ist abhängig unter anderem von örtlichen und historischen Gegebenheiten), die bei einer gewissen Längengleichheit acht oder (seltener) sieben Versfüße aufweisen. Die meisten Melodiezeilen enden mit länger ausgehaltenen Tönen, denen Zäsuren folgen. Eine davon – die Hauptzäsur – teilt die Strophe in zwei sich ergänzende Untereinheiten, die dem Vorder- und Nachsatz der klassischen Periode entsprechen.

Beispiel 10

Unvollständige oder erweiterte Wiederholungen bewirken in bestimmten Fällen eine gewisse „Elastizität" der Strophe und damit auch der Form des Liedes. Übertragungen aus dem vokalen Bereich in den instrumentalen beeinträchtigen formale Eigenheiten nicht, Melismen und Verzierungen fallen dabei reichhaltiger aus. Die Form des Liedes ist gelegentlich oder auch systematisch übertragbar auf Lieder der Hochzeits- und Trauerzeremonien, auf einige Lieder der Fruchtbarkeitsriten, Klagelieder, epische Lieder sowie Wiegenlieder.

Besonders typisch für den rumänischen Nationalcharakter und unverwechselbar ist die „Doina", deren Verbreitung sich gegenwärtig auf die Regionen Oltenien, Muntenien, den Norden Siebenbürgens und die Moldau beschränkt. Es ist anzunehmen, daß sie in früheren Zeiten auch in den anderen Landesgebieten gepflegt wurde, leider gibt es hierüber keine schriftlichen Aufzeichnungen.

Ihr klanglicher (modaler) Urgrund ist die dorische Skala mit beweglicher 4. Stufe (im Norden Siebenbürgens ist manchmal auch die mobile, veränderbare 3. Stufe anzutreffen). Die äußerst komplexe und geschmeidige rhythmische Struktur der „Doina" ist dem parlando-rubato-System zuzuordnen. Hin und wieder sind auch giusto-syllabische Elemente erkennbar. Die melodisch-rhythmischen Formeln entsprechen meist der Länge einer Melodiezeile und sind teilweise nur dieser Gattung eigen, können aber gelegentlich auch im Lied („cîntecul propriuzis") oder im epischen Lied wieder gefunden werden (ihre rhythmisch-melodischen Aspekte sind jedenfalls weniger komplex). Ureigenste Melodieformeln der „Doina" sind natürlich verwandt mit jenen anderer Volksmusikgattungen.

Die Formeln (melodische Wendungen) haben bestimmte Funktionen und nehmen im Gesamtaufbau der Strophe bestimmte Stellungen ein. Die eigenem Ermessen überlassenen Einleitungsformeln[12] sind aus steigenden Arpeggios oder länger ausgehaltenen Tönen gebildet. Gelegentliche Verzierungen auf der 6. und/oder 5. Stufe der Tonart sind zu beobachten. Die Anfangsformeln lassen sich in drei Hauptkategorien einteilen: die erste (so charakteristisch, daß sie zum Kennzeichen der „klassischen" Doina geworden ist) hebt den Wechsel zwischen direkt angrenzenden Stufen (6–5, 5–4, seltener 2–1), oder auseinanderliegenden Stufen (5–3) hervor; die zweite umfaßt rezitativisches Singen auf einem einzigen Ton; die dritte schließlich markiert fallende Bewegungen zwischen den Stufen 8–5 (mit möglichen Überschreitungen dieses Tonumfangs in beiden Richtungen). Melodische Formeln, die das „Innere" der Melodiezeilen bilden, sind teilweise mit denen der „Ballade" (siehe rectotono = auf einem Ton oder parlato = halbwegs deklamierend), teilweise aber auch eigenständige Prägungen. Reich verziert sind jedoch sowohl die einen als auch die anderen, weisen vielfältige und komplexe Rhythmisierungen auf und sind sehr elastisch (sowohl in Bezug auf ihre Dichte als auch auf ihre rhythmischen Werte), können außerdem erweitert oder verkürzt werden durch die unbegrenzte Wiederaufnahme einer motivischen Zelle und durch freie rhythmische Dehnungen oder Verdichtungen.

Der Aufbau ist wandelbar, von wechselnder Gestalt sowohl innerhalb der Melodie, wie vorhin beschrieben, als auch innerhalb der Strophe. Bei Wiederholungen kann die Strophe anfangs vorkommende melodische Formeln und Reihen quasi aleatorisch unter der Beachtung ihrer Funktion und Stellung im Zusammenhang neu ordnen.

Eine stilistische Typisierung der „Doina" ist in engem Zusammenhang mit den jeweiligen Landesteilen, in denen sie gepflegt wird, zu sehen:

a) die „klassische" Doina der Oltenia und der Muntenia (die weiterhin ihrer Funktion und Thematik nach und auch nach musikalischen Kriterien in die Untertypen „oltenisch", „Freischärler-Doina" – „de haiducie" –, „Liebesdoina" eingeteilt werden):

Beispiel 11

b) die Doina der Maramuresch, die sogenannte „lange hora" (hora lungă):

Beispiel 12

c) die Doina, die in bestimmten Gegenden des Karpathenbogens, in den Hirtenge-
meinschaften, gepflegt wird (siehe Beispiel 13);

Beispiel 13

d) die Doina der Bukowina, (mit einem etwas strengen, weniger der Improvisation verpflichteten Aufbau, mit Einflüssen des Liedes („cîntecul propriuzis") (Beispiel 14) (siehe auch Beispiel 4).

Beispiel 14

ai Şi no – ro – cu-i mîn – dră floa – re

Dar nu creş – ti pi că – ra – ri

ă Ca s-o ai – ai-bă oa-re-ca-re —— (i) ——

Că fl – tul sea —— mă nă —— şi pia-tră–(î) ——

Şi ră – sa-re tot o —— da —— tă

dar Jeu am pus şi – un bu – su – ioc ——

Şi n-o ră – să – rit di loc

Şi l-am pus la loc pîr – lit –

m Cînd a fos' de la pli – vit

Of — Nici on — fi - rut, na ie - șit

Nici on fi - rut, n-o ie - și - tu —

Și Cum pi lu — — me-i de — trǎ - it

Sîn — gu — ri - cǎ pe pǎ — min — tu —

Sîn - gu - r' - cǎ, sîn - gu - rea —

Mi - lǎ de la ni - me - nea

(sfîrșitul inregiestr.)

Alle hier beschriebenen Arten können sowohl gesungen als auch gespielt werden. Da sie sich von der Strenge der Versstrukturen befreien kann, hebt sich die instrumentale „Doina" durch betonten Hang zur Improvisation von der gesungenen „Doina" ab (siehe Beispiel 13).

Die etwas ausführlichere Behandlung der „Doina" ist nicht nur durch ihre stark nationale Prägung bedingt, sondern auch durch die Ähnlichkeit ihres allgemeinen Aufbaus, der melodisch-rhythmischen Formeln, der rhythmischen Systeme und Tonartstrukturen, ihres Variierens und der freien Behandlung der Strophe usw. sowie mit dem „epischen Lied".

Das epische Lied ist in seiner eigenen, inzwischen „klassisch" gewordenen muskalischen Form allein im Süden und Osten des Landes – in der Oltenia, Muntenia, Dobrudscha, Süd- und Zentralmoldau – anzutreffen; in den anderen Landesteilen nimmt es den Aufbau des gewöhnlichen Liedes („cîntecul propriuzis") oder des Weihnachtsliedes an.

Es wurde gelegentlich von balkanischem Einfluß auf das rumänische „epische Lied" gesprochen. Das ist im allgemeinen richtig und hätte auch nicht anders sein können, da Rumänien im Balkanraum liegt, einem Raum, dessen Einfluß sich in alle Richtungen ausbreitet. Dieser Einfluß ist jedoch geringer als man gemeinhin glaubt. Wir können das beispielsweise am Fragment des epischen Liedes „Micu copilaş" (Das Kind Micu) beobachten:

Beispiel 15

126

Din ca - val su - nîn - dî

Din flu - ier zi - cîn - dî

Din ca - val de o - sî

Mult zi - ce du - ios

II.

Ei Cu ca - val cin - ci - tî

De u - rechi pros - ti - ti

Ca - lul ce-i fă - cea

Dru - mul că-i lă - sa, măi

Col - ni - cu-a — pu — ca, mă

Mi - hul că-i vor - bea

III.

A — Hai, tu, ca - lu - le ——— mă

B — J co pi ——— lu - le ———

C — Ce laşi tu dru - mul

D — Şi - a - puci col - ni - cu - li

E — Că ieşti cu Mi — hu - li

F — Că ieş'i cu Mi — hub, mă

Das rumänische „epische Lied" (häufig mit dem nichtzutreffenden Begriff „Ballade"
bezeichnet) entwickelte sich parallel auf zwei unterschiedlichen Ebenen, die jedoch
mehrere gemeinsame Elemente aufweisen: das einfache, laienhaft gepflegte Bauernlied und das professionell ausgeführte Musikantenlied. Auf melodischer Ebene besteht zwischen diesen beiden Arten ein wesentlicher quantitativer Unterschied, gekennzeichnet durch die größere Komplexität und Ausdehnung des Musikantenliedes. Sieht man über die Eigenheiten des instrumental-harmonischen Gewandes des
Musikantenliedes hinweg, verbleiben dennoch genügend Ähnlichkeiten zwischen
den beiden epischen Liedarten, um den Komplex als Ganzes behandeln zu können.
Die Melodik des epischen Liedes benutzt (wie auch im Falle der Doina) im Prinzip
die Moll-Tonart mit beweglicher 4. Stufe. (Dur-Varianten sind möglich).
Rhythmische Strukturen werden vom giusto-syllabischen und parlando-rubato-System beherrscht, wobei ersteres in den eigentlichen epischen Rezitativen dominiert.
Die Melodik fällt allgemein weniger melismatisch aus, ist sparsamer verziert und
munter bewegt und begünstigt dadurch eine fließende, dynamische Narration. Die
Episoden – also strukturelle Großeinheiten, durch deren vielfältige Wiederholung
die Melodie aufgebaut wird – sind reichhaltiger und ausgedehnter als die Strophen
der „Doina" oder des Liedes („cîntecul propriuzis").
Ähnlich der „Doina" haben melodisch-rhythmische Formeln dieser Episoden bestimmte Funktionen und deshalb auch begrenzte Eingliederungsmöglichkeiten in

den Zusammenhang. Kennzeichnend und am häufigsten anzutreffen sind die Rezitative: melodisch, recto tono und parlato Rezitative (letztere sind im „Bauernlied" seltener anzutreffen). Ihr Aufbau ist nur teilweise dem der „Doina" zu vergleichen. Sie bilden den Mittelteil der Episoden.

Anfangs- und Schlußwendungen (Formeln) sind wichtige melodische Anhaltspunkte. Alle übrigen melodischen Wendungen werden seltener variiert, können quasi-aleatorisch neu geordnet oder beliebig oft wiederholt werden. Gleichheit und innerer Zusammenhang der Episoden ist daher in erster Reihe durch den (festen) Rahmen gewährleistet, den die eröffnenden und abschließenden Phrasen bilden, ebenso durch das größtenteils gemeinsame melodische Material der Mittelteile; gewährleistet schließlich durch betonte Ähnlichkeiten zwischen den Wendungen (Formeln) der Mittelteile. Diese Behauptung läßt sich anhand des schematischen Aufbaus des epischen Liedes „Micu copilaș"(Das Kind Micu, Beispiel 15) belegen. Die Buchstaben stehen unserer Meinung nach für die unterschiedlichen Melodiezeilen:

I. Episode:
A B C D E E E F G D D E F

II. Episode:
A A B C D D F

III. Episode:
A B C D E F

IV. Episode:
A B C D D D E F

V. Episode:
A A B D D F C D C D E E F

VI. Episode:
A A B D D E E F C G D D F F

VII. Episode:
A A B G D D D F C D C D E E E F

VIII. Episode:
A A A B D D D D F C D D D D

IX. Episode:
A B G D C D E E F

X. Episode:
A A B D D E E E F C D C D D D E F

XI. Episode:
A A B D D D E E F

XII. Episode:
A A B D D D E E F F C D D D D D F

XIII. Episode:
A A A B D D D E E F

wobei: A – die eröffnende Melodiezeile
B – die ihr folgende Zeile
C, D, E – die melodischen Rezitative (C = eröffnend, D = Kernstück)
F = die abschließende Melodiezeile
und G = C_V
D = B_V
E = A_V
darstellen.

Die Form der meisten heutigen Tanzlieder ist feststehend. Sie bestehen aus 2 bis 10 unterschiedlichen Abschnitten; die letztgenannte Zahl ist jedoch unverbindlich, denn in Wirklichkeit ist es schwer festzulegen, ob die Tänze mit komplexer Formung einmalige Stücke oder das Ergebnis der Aneinanderreihung verschiedener Melodien sind, die aber dem gleichen choreographischen Typ angehören. Die Abschnitte umfassen zwei oder vier Melodiezeilen von jeweils vier (seltener drei) Takten. Sie wiederholen sich normalerweise in der ursprünglichen Reihenfolge, seltener aber auch in einer quasi-aleatorischen Folge (siehe Beispiel 6).

Die verwendeten Skalen sind siebentönig, wobei ein Hang zur klassischen westeuropäischen Dur-Moll-Tonalität (bei Begleitungen) festgestellt werden kann. Die rhythmischen Strukturen sind gleichmäßig, wiederholbar, dicht, doch weniger vielfältig (Ausnahme bilden einige langsame Tänze aus Siebenbürgen) und bilden symmetrische (²⁄₄) oder asymmetrische, „Aksak"-Takte (⁵⁄₈, ⁷⁄₁₆, ¹⁰⁄₁₆ usw.).

Die rhythmische Zusammensetzung der Formeln dieser Tänze ist folglich genau umrissen; ihre melodische hingegen ist außerordentlich reichhaltig und nur schwer vereinfacht darzustellen.

Einige heute selten gewordene Tanzlieder früherer Zeiten[13] haben eine freiere Form, die den Interpreten größere Improvisationsmöglichkeiten eröffnen. Aus kleinsten Einheiten (Motiven) sehr ökonomisch aufgebaut und mit deutlich erkennbarer motivischer Verwandtschaft ausgestattet, vermeiden sie herkömmlich symmetrische Abläufe.

Durch Verkürzungen oder Erweiterungen leicht variierte rhythmische Elemente bewirken letztlich eine betont improvisatorische Gestik:

Beispiel 16

131

Alle einstimmigen Volksmusikgattungen, deren formale Eigenheiten bisher behandelt wurden, sind auch in der heutigen rumänischen Volksmusik anzutreffen. Ihre Widerstandskraft ist erkennbar an ihrem häufigen Auftreten in bestimmten Gebieten, an den Ausmaßen ihrer Verbreitung sowie ihrer Wandlungs- und Anpassungsfähigkeit.

Das Lied und der Tanz sind seit alters her die lebensfähigsten Gattungen. Im heutigen Lied gehen auch im Verschwinden begriffene Volksmusikgattungen auf. Andererseits vermischen sich auch einige kennzeichnende Aspekte miteinander, wobei sich beide Gattungen mit einem Teil ihrer Funktionen und Formeigenheiten gegenseitig befruchten. Das Tanzlied entstand, indem dem Lied ein Tanzrhythmus oder dem Tanz Verse hinzugefügt wurden und ist daher das Ergebnis dieser gegenseitigen Einflüsse. Die Verbreitung der „Doina" und des „epischen Liedes" geht seit einem guten Jahrhundert langsam zurück. Beide jedoch besitzen die nötige Kraft, um fortzudauern und verlorenes Terrain wieder zu gewinnen. Dank einer Kulturpolitik, die durch die Abhaltung von Wettbewerben und Folklorefestivals (wie z. B. die künstlerische Massenbewegung „Cîntarea României" – „Preis Dir, Rumänien") das Interesse für die alten Lieder erweckt, ist eine Neubelebung auch tatsächlich möglich.

Sowohl das Lied, als auch das Tanzlied, die „Doina" und die Ballade sind in der rumänischen Folklore sowohl einstimmig, als auch mehrstimmig anzutreffen; sie wurden von berufsmäßigen Volksmusikanten aufgegriffen, für (Vokal)-Instrumentalensembles arrangiert, harmonisiert und klanglich neugestaltet. Diese instrumentalen Neugestaltungen trugen zu einer Änderung der Strukturen bei, dürften jedoch nicht als Entartung angesehen werden, sondern als Ausdruck einer neuen Entwicklung. Darüber hinaus stellen die neuen mehrstimmigen und instrumentierten Fassungen dieser ursprünglich einfachen folkloristischen Gattungen einen Beitrag zur Wiederbelebung und Entwicklung dieser Gattungen auf einer höheren künstlerischen Ebene dar.

Anmerkungen

1 Siehe Ştefan Niculescu, La syntaxe en musique. In der Zeitschrift Revue Roumaine d'Histoire de l'Art, Série Théatre, Musique, Cinéma, Tome XIV (1977), Bukarest, Akademie-Verlag, S. 81–88.

2 Unter gewissen Bedingungen erfahren einige Töne des pentatonischen Bereichs (G–A–H) Alterationen, die ihre Stabilität zerstören und ihre Funktion verändern, wobei diese Töne als Ersatz der ursprünglichen Stufen gelten.

3 Picnon – eine Gruppe von drei aneinandergereihten Tönen einer pentatonischen Skala; so benannt von Constantin Brăiloiu, in der Studie Sur une mélodie russe (in Opere [Ouevres] B. 1).

4 Eine Ausnahme bildet der Fall, in dem diese selbst alteriert sind.

5 Siehe Le giusto syllabique. Un systeme rythmique populaire roumain (Constantin Brăiloiu, Opere [Oeuvres] B. 1).

6 Von Béla Bartók so benannt.

7 Siehe Constantin Brăiloiu, Le rythme aksak, in Opere (Oeuvres) B. 1.

8 Opere (Oeuvres) B. 1

9 Das Vorhandensein einer Theorie über dieses rhythmische System in der europäischen Musikologie oder Ethnomusikologie ist uns übrigens unbekannt.

10 Wir werden weiter unten aufzeigen, daß ein bestimmter musikalischer Aufbau sich vorrangig, wenn nicht ausschließlich mit einer bestimmten musikalisch-folkloristischen Gattung verbindet; deshalb haben wir sie hier mit dem Zeichen der annähernden Gleichheit verbunden.

11 Den Bemerkungen der folgenden Abschnitte vorgreifend, präzisieren wir, daß sich das lyrische Lied, die „Doina", das epische Lied und sogar das Klagelied auch in reineren Instrumentalformen offenbaren kann.

12 Die Einteilung, Benennung und Beschreibung der „Doina"-Formeln (als einleitende, beginnende, weiterführende und abschließende Formeln) verdanken wir der Forscherin Emilia Comişel (siehe die Studie Vorbetrachtungen zu einer wissenschaftlichen Studie der Doina).

13 Von Béla Bartók zum ersten Mal erkannt und kurz beschrieben (siehe Rumanian Folk Music, B. 1, Instrumental Music).

Anhang

Der Vortrag wurde mit folgenden Musikbeispielen ergänzt:
  1: Doina (Hochzeitslied)
     Archiv-Aufnahme: D 1325 b
     Ort und Datum der Aufnahme: Negreşti – Satu Mare, 1940
  2: Doina (von einem vokalen Bordun begleitet)
     Archiv-Aufnahme: D 629 a
     Ort-Datum: Curtişoara – Gorj, 1936
  3: Klagelied
     Archiv-Aufnahme: D 632 c
     Ort-Datum Bîrghiş – Sibiu, 1936
  4: Lied: („cîntec propriuzis") Tu te duci badeo, azi mîine
     A–A: D 539 a
     Ort–Datum: Lunca Tîrnavei – Şona, – Alba, 1934
  5: Doina: Mîndră floare-i norocu'
     A–A: mg. 1466 1 k
  6: Lied („cîntec propriuzis") Cum să-ţi zic, neicuţă dragă
     A–A: D 418 I b
     Ort–Datum: Jupa – Caraş Severin, 1935.
  7: Lied („cîntec propriuzis") Frumos badeo trandafir
     A–A: D 418 II a
     Ort–Datum: Jupa – Caraş Severin, 1935
  8: Tanz: Invîrtita
     A–A: mg. 1403 e
     Ort–Datum: Aiudul de sus – Alba, 1958
  9: Klagelied (Schalmeiklang)
     A–A: D 1324 II b
     Ort–Datum: Tîrşolt – Satu Mare, 1940
 10: Lied („cîntec propriuzis"): Pe dealul Cerbălului
     A–A: D 2975 I b
     Ort–Datum: Cerişor – Lelese – hunedoara, 1959

Literaturverzeichnis (Auswahl)

Alexandru, Tiberiu: Romanian Folk-Music. Bucharest, Musical Publishing House (1980), S. 269.

Bartók, Béla: Rumanian Folk Music, B. 1. Edited by Benjamin Suchoff, The Hague, Martinus Nijhoff (1967).

Bentoiu, Pascal: Cîteva considerații asupra ritmului și notației melodiilor de joc românești. (Einige Betrachtungen über den Rhythmus und die Notation der rumänischen Tanzmelodien). Revista de folclor I (Zeitschrift für Folklore) (1956) Nr. 1–2, Bukarest, Akademieverlag, S. 36–67.

Brăiloiu, Constantin: Opere (Oeuvres) (zweisprachige Ausgabe) B. I–V. Bukarest, Musikverlag (1967–1981).

Breazul, George: Idei curente în cercetarea cîntecului popular. Moduri pentatonice și prepentatonice. (Gegenwärtige Ideen zur Erforschung des Volksliedes. Pentatonische und vorpentatonische Modi).
Studii de musicologie (In der Zeitschrift „Musikologische-Studien") B. 1 (1965), Bukarest, Musikverlag, S. 5–62.

Carp, Paula: Notarea relativă a melodiilor populare pe baza integrării lor într-un sistem. organic. (Die relative Notation der Volksmelodien aufgrund ihrer Einbeziehung in ein organisches System). In Zeitschrift für Folklore 5 (1960), Nr. 1–2, Bukarest, Akademieverlag, S. 7–24.

Cernea, Eugenia: Doina din nordul Transilvaniei. Contribuții la studiul particularităților compoziționale și stilistice (Die nordsiebenbürgische „Doina". Beiträge zum Studium ihres Aufbaus und ihrer stilistischen Eigenheiten), Studii muzicologice. B. 6 (1970), Bukarest, Musikverlag, S. 179–206.

Cernea, Eugenia: Despre evolutia doinei bucovinene. (Die Entwicklung der „Doina" in der Bukovina). Revista de etnografie si folclor. (Zeitschrift für Ethnographie und Folklore) 15 (1970), Nr. 2, Bukarest, Akademieverlag, S. 133–142.

Ciobanu, Gheorghe: Quelques tendances dans l'evolution actuelle de la chanson „proprement dite" roumaine. SUFJ Celje, 1965, Ljubljana (1968), S. 73–76.

Comișel, Emilia: Preliminarii la studiul științific al doinei. (Vorbetrachtungen zu einer wissenschaftlichen Studie der Doina). Revista de folclor 4 (1959), Nr. 1–2, Bukarest, Akademieverlag, S. 147–174.

Comișel, Emilia: La ballade populaire roumaine. Studia Memoriae Béla Bartók Sacra, Aedes Academiae Scientiarum Hungaricae Budapestini, MCMLVI, 2-nd edition (1957), S. 27–50.

Georgescu, Corneliu: Dan Contribuție la studiul formei libere. (Beiträge zum Studium der freien Form) Revista de etnografie și folclor (Zeitschrift für Ethnographie und Folklore) 13 (1968), Nr. 4, S. 339–347.

Kahane, Mariana: De la cîntecul de leagăn la doină. (Vom Wiegenlied zur „Doina"). Revista de etnografie și folclor 10 (1965), Nr. 5, Bukarest, Akademieverlag, S. 477–489.

Kahane, Mariana: Trăsături specifice ale doinei din Oltenia subcarpatică. (Spezifische Wesenszüge der „Doina" in den Vorkarpaten der Oltenia). Revista de etnografie si folclor 12 (1967), Nr. 3, Bukarest, Akademieverlag, S. 203–211.

Mîrza, Traian: Observații privind geneza cîntecului „propriuzis" (Bemerkungen über die Genesis des Liedes („Cîntecul propriuzis"). Lucrări de muzicologie. (Musikologiestudien) 4 (1968), Musikkonservatorium „Gheorghe Dima", Cluj, S. 87–106.

Szenik, Ileana: Inrudiri tipologice în cîntecul propriuzis (Typologische Ähnlichkeiten im „cîntecul proprinzis"-Lied). Lucrări de muzicologie 4 (1968), Musikkonservatorium „Geohrghe Dima", Cluj, S. 107–119.

Vicol, Adrian: Recitativul parlato în cîntecele epice românești (Das parlato Rezitativ in den rumänischen epischen Liedern). Revista de etnografie și folclor (Zeitschrift für Ethnografie und Folklore) 17 (1972) Nr. 2 Bukarest, Akademieverlag, S. 107–143.

Wolfgang Suppan

Johann Gottfried Herders Beitrag zur Entstehung der Volkslied-Sammelbewegung in den slawischen Ländern

Herders Rang unter den Großen des deutschen Geisteslebens ist unumstritten. Er hat wesentlich dazu beigetragen, den Sinn für historische Ereignisse und deren jeweils gegenwartsbezogene Deutung bei den Menschen seiner Zeit zu wecken; er wird von den slawischen Völkern als Initiator und Wegbereiter ihrer nationalen Selbstfindung gepriesen; er gilt als einer der erfolgreichsten Erzieher zur Humanität[1]. In seinem Denkgebäude und im System seiner Pädagogik kommt der Musik als Reagens menschlichen Zusammenlebens eine bedeutsame Rolle zu. Obgleich in Königsberg kurze Zeit Schüler von Kant, hat er nie dessen Kunstästhetik akzeptiert: daß nämlich das Wesen der Kunst und der Kunstbetrachtung im „interesselosen Wohlgefallen" liege, – sondern der anthropologische und soziologische Bezug des Kunstwerkes und im Bereich der Künste vor allem der Musik liege – wie man heute sagen würde – in deren Gebrauchswert für den Menschen und für die Gesellschaft. Und eben das macht den Philosophen Herder anregend für unsere Zeit. Seine zeitbedingt – im ausgehenden 18. Jahrhundert – formulierten Ideen erweisen sich keinesfalls als zeitbeschränkt.

Mehr als Schul- und Universitätslehre haben den jungen Herder die ersten Berufsjahre in Riga, von Ende November 1764 bis Juni 1769, beeinflußt. Dort, in der anregenden Atmosphäre weltgewandter Freunde und vor allem im Kontakt mit deutscher und lettischer Bevölkerung, wuchs das eigentlich „Herder'sche". Da erinnerte sich Herder der Diskussionen mit seinem Königsberger Freund Johann Georg Hamann, dem Wegbereiter des literarischen „Sturm und Drangs", der Herder auf die gemeinsamen Wurzeln von Wort und Ton und auf deren irrationale Grundschichten in Frühzeit, Volk und Gefühl hingewiesen hatte. Bereits Hamann hatte den lettischen Arbeitsgesang in Kurland und in Livland beobachtet – und die rhythmische und metrische Eigenart der Bauerngesänge mit dem seiner Meinung nach ebenfalls „monotonen Metrum" Homerscher Gesänge verglichen. Und in den „Kreuzzügen des Philologen (Aestetica in nuce)" von 1762 schreibt er dazu: „Meine Bewunderung oder Unwissenheit von der Ursache eines durchgängigen Silbenmaßes in dem griechischen Dichter ist bei der Reise durch Kurland und Livland gemäßigt worden. Es gibt in den angeführten Gegenden gewisse Striche, wo man das lettische und undeutsche Volk bei aller Arbeit singen hört, aber nichts als eine Kadenz von wenigen Tönen, die mit einem Metro viel Ähnlichkeit hat". Hamann ahnte da wohl einen Zusammenhang zwischen Urpoesie und damals noch lebender Volkspoesie, wie sie später Lord bei seiner balkanischen Epenforschung überaus deutlich machen konnte[2].

Herder wandelt auf Hamanns Spuren, aber er baut auf dieser Basis keine Kunstästhetik auf. Er sieht die mündlich bei den Bauern tradierten Lieder und Tänze nicht als Vorstufe höherer Kultur – sondern als eigenwertige, neben der Kunstpoesie beständige und notwendige Werte einer Zivilisation. Durch seinen Einfluß auf die nationalen Bewegungen Osteuropas hat Herder im Grunde zurückgegeben, was er in den Rigaer Jahren – inmitten der finno-ugrischen und slawischen Bewohner des Baltikums – aufgegriffen hat und was damals zu seinem Weltbild geronnen ist.

Lesen wir in den Schriften jener Rigaer Jahre, so tritt uns immer wieder jenes Erstaunen über den lebendigen Volksgesang entgegen, dem er da begegnete: er fühlt darin das Naturnahe, das Elementare, das Urwüchsig-Leidenschaftliche, den „echten Volksgeist", – und er stellt die unverkünstelte Empfindung der lettischen Bauerngesänge der damaligen Kunstpoesie gegenüber, die die Menschen mit „artfremden Mustern" überlagere, sie in ihrem Denken und Fühlen verändere; wir würden heute sagen: manipuliere. Diese Gefahren bedrohten „die celtischen Lieder des Volks... die jetzt in Hexametern und griechischen Silbenmaßen (nämlich in Demis' deutscher Ossian-Übersetzung) so sind, wie eine aufgemalte bebalsamte Papierblume gegen jene lebendige, schöne blühende Tochter der Erde, die auf wilden Gebirgen duftet", in demselben Maße, wie alle primitiven Völker, auch z. B. die Letten, „denen unsere Sitten noch nicht völlig Sprache und Lieder und Gebräuche haben nehmen können, um ihnen dafür etwas sehr Verstümmeltes oder Nichts zu geben"; denn: „was haben solche Völker durch Umtausch ihrer Gesänge gegen eine verstümmelte Menuet, und Reimleins, die dieser Menuet gleich sind gewonnen?" Den „alten, wilden Gesang, Rhythmus, Tanz" lettischer Landleute noch in Ohr und Herz, wendet sich Herder hier, zum Teil auch als Erbe des Rousseau'schen Kulturpessimismus, gegen verstümmelte Salontänze und gleich unwertige Liedchen, wie sie als Imitation deutscher Sitten damals unter halbverstädterten Letten sowie den lettischen Hofmädchen und Zofen auf den deutschen Gutshöfen grassierten.

Doch Herder bleibt auch da nicht bei der Kritik herrschender Zustände stehen. Er sieht in diesen schriftlos tradierten Versen und Melodien die „Denkarten der Nationen", die das Wesen der Völker ausmachenden Kriterien. Aus der Rigaer Frühzeit Herders stammen die Sätze: „Der Denkart der Nationen bin ich nachgeschlichen, und was ich ohne System und Grübelei herausgebracht, ist: daß jede sich Urkunden bildete... daß diese Urkunden in einer dichterischen Sprache, in dichterischen Einkleidungen, und poetischen Rhythmen erschienen... und solche Gesänge hat jede Nation". Lieder und Tänze vermögen demnach den Volkscharakter widerzuspiegeln, – und eine Sammlung, wie sie Herder im 5. Buch der „Adrastea" (1801–03) vorschlug, eine solche Sammlung von Volksliedern, nach „Ländern, Zeiten, Sprachen, Nationen geordnet", stellte sich daher als „eine lebendige Stimme der Völker, ja der Menschheit selbst" vor[3].

Aber das alles ist nicht schöngeistige Betulichkeit, nicht ein Sammeln um des Sammelns willen oder nationalistisch-völkische Selbstbestätigung, – man kann dies nicht oft genug sagen; denn gerade diese Bereiche wurden später unter Berufung auf Herder von der Volksliedpflege in den Vordergrund gerückt. Herder lebte in einer Zeit der ständigen Verschriftlichung des Lebens. Denken wir an die Schulgesetze Maria Theresias und Josephs II., an die Volksschulgründungen in den kleinsten Dörfern und entlegendsten Tälern. Schreiben und Lesen war im Mittelalter eine Angelegenheit der Bediensteten; selbst ein Minnesänger wie Ulrich von Lichtenstein konnte es nicht, wollte es auch nicht können, weil dies Angelegenheit von Vasallen sein mochte; diese Einsicht verkehrte sich im 16. und 17. Jahrhundert: Wissen – über Lesen erworben – gehörte jetzt zum Prestige oder Vorrecht oberer Klassen und garantierte gewisse Macht. Das 18. Jahrhundert aber begann, den Analphabetismus mehr und mehr auszuräumen. Und da war es einer der Kerngedanken Herders, daß mit den schriftlosen Traditionen, mit eben jener Volkspoesie, doch Werte verbunden seien, die aus moralisch-ethischen Gründen bewahrt werden sollten. Nicht, daß er dem Fortschritt Einhalt gebieten wollte; aber das Ältere sollte nicht vollends dahinsterben – sondern gewisse Werte der Gegenwart und Zukunft vermitteln[4].

Zweifach ist in diesem Sinn Herders Einfluß auf die Entstehung der Volkslied-Sammelbewegungen in den slawischen Ländern:

(1) er steht Pate bei den frühesten Bemühungen, Volkslied, Volksmusik, Volkstanz als Zeugen eigenwertiger, eigenständiger Nationalität zu dokumentieren;

(2) an diesen Volksliedaufzeichnungen wird manche Sprache erstmals schriftlich fixiert.

Das Bewußtsein, im Konzert der europäischen Völker ein gleichwertiger Partner zu sein, d. h. Recht auf nationale Unabhängigkeit durch das Vorzeigen kultureller Leistungen zu begründen, macht die Beschäftigung mit dem Volkslied zu einer politischen Angelegenheit. Ein Beispiel dafür: Wolfgang Steinitz hat darauf in der Neuausgabe der „Volkslieder der Sorben in der Ober- und Nieder-Lausitz" hingewiesen. „Unter dem Einfluß der Ideen Herders..., durch das Erlebnis der beginnenden nationalen Wiedergeburt bei den benachbarten slawischen Völkern hatten schon seit etwa 1825 sorbische Studenten in Leipzig und Prag angefangen, sorbische Volksdichtung aufzuzeichnen. Schmalers Volkslieder sind die erste umfassende Sammlung und der größte Erfolg der damaligen volkskundlichen Bemühungen der Sorben". Und der tschechische Literaturhistoriker Josef Páta charakterisierte diese Sammlung mit folgenden Worten: „Mit seinen Volksliedern hat Schmaler damals alle anderen Slawen übertroffen. Schmalers Abhandlung über die Sitten und Gebräuche der Sorben ist der beste volkskundliche Beitrag der damaligen Zeit"[5]. Was Steinitz und Páta „volkskundlich" nennen, meint nicht das heutige Universitätsfach „Volkskunde": die wissenschaftliche Reflexion über Fragen der traditionellen Güter der seelisch-gesellschaftlichen Grundschichten oder dem Soziologischen angenäherte Analysen gegenwärtiger städtischer Subkultur u. ä. Sondern hinter den genauen Text- und Melodieaufzeichnungen, hinter der Beschreibung der Lebensweise, in der solche Lieder funktionierten, hinter der mit großer Akribie an den Volksliedern entwickelten Grammatik der sorbischen Sprache, da steckt der politische Sinn eines solchen Dokuments. Zwar aus verständlichen Rücksichten nicht direkt angesprochen, aber zwischen den Zeilen jedem Eingeweihten deutlich, weisen Haupt und Schmaler nicht allein auf die ästhetischen, schöngeistigen Ziele, auf die anthropologischen Merkmale, auf die historischen Zusammenhänge, auf die grammatikalischen, lautgeschichtlichen, musikalischen Besonderheiten und deren Basisfunktion für höhere Poesie, auf den Fremdenverkehr (man sprach damals von den Reisenden, die die Eigentümlichkeiten fremder Völker kennenlernen wollten) hin, – um dann den eigentlichen Grund zu streifen, nämlich auf die Reste jenes kleinen slawischen Volksstammes „in der Gegend zwischen Böhmen, der Saale, Elbe und Oder" aufmerksam zu machen, der von der Gefahr bedroht sei, seine Identität zu verlieren, von umliegenden Völkern aufgesogen und langsam zerstört zu werden. Und wie anders sollte man dies verhindern können als durch diese „Urkunden" – wie sie Herder nannte –, die den Beweis für eine eigene, eigenständige Nation liefern. Haupt und Schmaler vergessen auch nicht, auf diejenigen Sammlungen hinzuweisen, die ihnen in diesem Sinn als Vorbild dienen: „Die Russen, die Russinen, die Slowaken, die Illyrer, die Zschechen, die Polen haben bereits zum Theil treffliche Sammlungen aufzuweisen"[6].

Gerade ein zahlenmäßig so schwacher Stamm, wie die Sorben, der zudem inmitten deutschsprachiger Völker lebte, bedurfte in der ersten Hälfte des 19. Jahrhunderts der Selbstbestätigung mit Hilfe einer repräsentativen Volksliedsammlung. Eine Selbstbestätigung, die im Sinne Herders nicht nationale Gegensätze aufreißen sollte, sondern im Gegenteil das Verstehen der Mentalität des anderen Volkes, den Respekt vor der Eigenart des Fremden befördern wollte. Erst dem 20. Jahrhundert war es vorbehalten, die Volksliedlehre als Bestandteil einer Rassenlehre zu deuten, damit die Überlegenheit einer Rasse über eine andere dokumentieren zu wollen: in Verkennung und Pervertierung des Herder'schen Ansatzes[7].

In dem Kapitel „Von Herder zu Bartók" seines Buches „Europäische Volksmusik und abendländische Tonkunst" hat Walter Wiora jene Entwicklung in Osteuropa dargestellt, in der die Volksmusik als Ausdruck des werdenden oder gefestigten Kultur- und Staatsvolkes im Sinne des Nationalitätenprinzips funktioniert. Die Verwendung und Verklärung der Volksmusik erhielt damit – wie Wiora sich ausdrückt – „nationalpolitischen Sinn. Sie diente der kollektiven Selbstdarstellung und Festigung des Nationalgefühls, der Einigung von Schichten und Stämmen ... und der kämpfenden Selbstbehauptung gegen Fremdherrschaft". Bei Persönlichkeiten wie Mussorgskij und Rimskij-Korsakow, bei Smetana und Janáček, bei Bartók und Kodály geht es nicht mehr um die reine und unverfälschte Bewahrung, die pädagogische Nutzung der moralisch-ethischen Werte des Volksgesanges (wie dies Herder gemeint hatte), sondern um die künstlerische Verwertung, mit der die Kulturentwicklung der Staaten Osteuropas und damit diese selbst in die Dynamik der westeuropäischen Kultur als gleichberechtigte Partner integriert wurden. Janáček sah etwa so seine Aufgabe: „Während aus den Sammlungen von Volksliedern die Stilregeln entnommen werden können, nach welchen sich auch die Kunstmusik richten kann, wenn sie den Charakter der tschechischen Volksmusik erhalten will, können wir durch das Kennenlernen von Volkstänzen eine Wiedergeburt unserer Musik auch in harmonischer, tonartmäßiger und besonders formaler Beziehung erwarten"; soweit Janáček in einem Gesuch an die Prager Akademie im Jahre 1891[9]. Und an anderer Stelle spricht Janáček davon, daß an den von ihm gesammelten Sprachmelodien, an jedem einzelnen „gesprochenen Wort ein Bruchteil des nationalen Lebens" haftet. Ich füge solche Zitate deshalb ein, um zu zeigen, wie die von Herder ausgehenden Ströme sich verzweigt haben – und wie gerade in den slawischen Ländern die Weiterführung und Modifizierung seiner Ideen Früchte trug. Früchte, die längst wieder zurückwirken auf westeuropäische Kulturbewegungen, – falls es heute, im Sinne einer Weltkultur überhaupt noch sinnvoll wäre, West- und Osteuropa zu trennen.

Zurück ins 19. Jahrhundert. Herder hat das Wort „Volkslied" geprägt – und er hat damit eine Sache bezeichnet, die längst vor seiner Zeit und längst vor der schriftgeprägten Musik mit der Geschichte des Menschen verbunden war. Er hat die Sache nicht erfunden – wie Ernst Klusen einmal überspitzt meinte –[10], er hat aber das Verständnis dafür geweckt und ihre Bedeutung für die Entwicklung der menschlichen Natur herausgestellt. „Durch Musik ist unser Geschlecht humanisiert worden; durch Musik wird es noch humanisiert ... Orpheus Leier hat mehr getan als Herkules Keule"; damit wollte Herder sagen, daß der Musik menschenformende Kräfte zukämen, daß sie im System der Pädagogik einen wichtigen Platz einnehmen sollte. Die Basisfunktion der Volksmusik, psychisch und biologisch für die Entfaltung des Menschen konstitutiv, stellte er dabei ebenso heraus wie die Bedeutung dieses Fundaments für das Ganze der Kultur eines Volkes. Und Herder folgert daraus: „Die Nationalmelodien jedes Volkes enthüllen seinen Charakter ... Nicht etwa nur, wie durch Töne diese Nation bewegt werden will, sondern auch wie sie bewegt werden kann"[11]. Das bedeutet, daß Musik und Lied nicht allein Ausdruck der unterschiedlichen Prägung der einzelnen Charaktere seien, sondern auch Kräfte freimachten, derer sich der Pädagoge bedienen kann, um Charaktere zu formen. Der anthropologisch-politische Sinn des Musizierens wird hier angesprochen – und dem klassizistischen Bildungshumanismus Kants oder Fichtes wird damit widersprochen. Doch sosehr Herders Anregungen in bezug auf Volksliedsammlung und pädagogische Nutzung dieser Aufzeichnungen auf fruchtbaren Boden fielen, – seine Ideen zur Ästhetik der Musik blieben eher ungehört. Musik wurde mehr und mehr zu einem Kunstgegenstand, der unabhängig vom Menschen existieren sollte, zur Kunst um der Kunst willen, schließlich zum unnotwendigen Dekor der Bildungsgesellschaft und reduziert auf den Freizeitwert der Hobby-Kultur. Wer jedoch den Einfluß „Funktionaler Musik" unserer Tage auf den Menschen, die Background-Musik in Warenhäusern und Fabrikshallen, die Verwendung der Musik in der Heilpädagogik und Medizin vor Augen hat, der wird bei Herder Ideen über diese Primärform des Musikgebrauches finden[12].

Doch möglicherweise entferne ich mich da etwas von meinem Thema? Hätte Herder denn auch in diesem Sinn auf die Volksliedbeschäftigung in den slawischen Ländern gewirkt?

Ich meine „ja"! Wenn ich in Nikolai Kaufmanns Abriß der „Bulgarischen Volksmusik"[13] lese, wie da die verschiedenen Stationen einer teils leidvollen, teils freudigen Geschichte: die Türkenherrschaft, die Befreiung Bulgariens durch den russisch-türkischen Krieg, politische Umwälzungen, schließlich 1944 die erneute Befreiung, wie sich diese historischen Daten nicht allein in Epen und Liedern spiegeln – sondern diese Epen und Lieder ein Vehikel der Nachrichtenübermittlung und im psychologischen Sinn ein Mittel des Kräftesammelns in politisch schwieriger Situation sein konnten, – dann ist da wohl ein Faden zurück zu Herder zu spinnen. Kaufmann spricht von Liedern, deren die Partisanen in den Jahren 1942 bis 1944 bedurften „wie des Brotes und der Luft". Im selben Sinn, wenn auch mit anderen Worten, sprach Herder von der Volkspoesie.

Es erscheint mir wichtig, auf diese Ideen Herders hinzuweisen, um sie auf der Basis gegenwärtigen ökonomischen und soziologischen Verständnisses in die Diskussion um zeitgenössische Probleme einzubringen. Wichtiger, als etwa Daten zu horten, die sich daraus ergeben würden, ist, daß kaum einer der großen slawischen Volksliedsammler des 19. Jahrhunderts sich nicht auf Herder berufen hätte. Auch die zu statistisch-etatistischen Zwecken dienenden, bald nach 1800 nach dem Vorbild französischer militärischer Landesbeschreibungen einsetzenden Landesaufnahmen der Regierung in Wien bezogen Volkslied, instrumentale Volksmusik und Volkstanz nicht ohne Seitenblick auf Herder mit ein, – und die Beantworter dieser Fragebogen kannten zumeist Herders Schriften und Ausgaben. Selbst in entlegeneren Landschaften ist dies bezeugt. Karel Vetterl wies in seinem Aufsatz über „Volkslied-Sammelergebnisse in Mähren und Schlesien aus dem Jahre 1819"[14] auf solche Zusammenhänge hin: Unter den Einsendungen der Sammelaktion der Gesellschaft der Musikfreunde in Wien, nun als „Sonnleithner-Sammlung" bekannt, weil Johann Sonnleithner, der Begründer und erste Sekretär der genannten Wiener Gesellschaft den Schriftwechsel in offiziellem Regierungsauftrag durchführte, – unter diesen Einsendungen findet sich ein Konvolut von J. H. Gallaš, geboren 1756, gestorben 1840, der als pensionierter Oberarzt seit 1792 in Hranice lebte und als tüchtiger Schriftsteller und leidenschaftlicher Anhänger von Gessners idyllischer Poesie bekannt war. Er befaßte sich eifrig mit Volksliedern, scheute dabei aber vor Ergänzungen und Neu-dichtungen nicht zurück. Vetterl verdeutlichte dies an seinen „Liedern in walachi-scher Mundart" im Dichterbuch „Muza Moravská". Auch seine Einsendungen aus dem Jahre 1819, die 15 tschechischen Lieder zur Sonnleithner-Sammlung, mischen Authentisches und Unterschobenes. In einem Begleitschreiben zu der kleinen Sammlung weist Gallaš auf das „für alle Slawen so wichtige Werk von Herder" hin. Herders Bedeutung für die slawische Volksliedsammlung und damit für die nationa-le Wiedergeburt der Völker mochte demnach sehr früh erkannt worden sein, ohne allzu genau seine Forderung nach möglichst getreuer Dokumentation zu befolgen. Herder sah im Volkslied besondere geistige, humane Werte, – und er trennte sorgfäl-tig davon den „Gesang des Pöbels". Das eine nützlich für die Menschenbildung, daher in der Pädagogik, im Schulgesang bedeutsam, – das andere schädlich, niedere Instinkte ansprechend, auszurotten. Und diese Wertlehre des Volksliedes hat die frühen und späteren Sammler, die den Ehrgeiz hatten, besonders treffliche Exempla-re in ihren Sammlungen aufzuzeigen und damit für ihre Landschaft zu werben, wohl dazu verleitet, das Sammelgut wenn nötig entsprechend aufzupolieren, Texte und Melodien zu verschönen. Eine solche schöngeistige Natur fanden wir in Gallaš. Er ist aber sicher kein Einzelfall, wenn wir die großen Sammlungen des 19. Jahrhun-derts uns ansehen. Auch Johannes Brahms faszinierten die zurechtgemachten Volks-lieder bei Zuccalmaglio mehr als die dem Original näher kommenden Editionen von Erk und Böhme[15].

Man kann sagen, Herders Volksliedbeschäftigung habe auf die Zeitgenossen „nur einen geringen und lahmen Eindruck gemacht", wie Leonid Arbusow in dem Auf-satz „Herder und die Begründung der Volksliedforschung im deutschbaltischen Osten" meint[16]. Eher wäre davon zu sprechen, daß Herders Einfluß gewaltige Fol-gen hatte, und zwar schon sehr früh. Doch stellt sich Herders Gedankengebäude so vielschichtig und vielseitig dar, daß viele seiner Nachfolger eben unterschiedliche Anregungen daraus empfangen konnten. Julian von Pulikowski, der bei Robert Lach in Wien im Jahre 1933 promovierte Pole (er kam später beim Warschauer Aufstand um), hat in seiner Dissertation über die „Geschichte des Begriffes Volks-lied im musikalischen Schrifttum"[17] schonungslos aufgedeckt, wer alles von Herder profitierte: Aufklärer wie Erzieher, Menschenfreunde wie Kunsterneuerer, Volks-tümler wie Geschäftsleute, Vaterlandsfreunde wie Jugendbewegte, Romantiker wie politische Realisten: und alle holten aus Herders Schriften eben das heraus, was ihnen in ihr Konzept paßte. – Aber einseitige Deutung eines so großen Geistes, wie es Herder war, widerspricht der Redlichkeit des Wissenschaftlers.

Herders Grundidee erkennen heißt: ihn als den großen Ideenbringer des ausgehen-den 18. Jahrhunderts einordnen, in dessen philosophischem Weltbild der Musik als wesentliches Reagens menschlichen Zusammenlebens, und speziell dem Volkslied, als Ausdruck primär-menschlichen Fühlens und Sich-Gebens und als Mittel der Selbstfindung der Nationen, entscheidende Kräfte zugesprochen werden. Die von ihm ausgehenden Regenerationsbewegungen reichen vom Sturm und Drang bis zu den neuromantischen Jugend- und Singbewegungen der Gegenwart. Daß er diese Ideen während der Rigaer Jahre am lebendigen Volkslied Osteuropas entwickelt hat, daß er dafür als Gegenleistung den Völkern Osteuropas jenen Samen einpflanzte, der sie ihre kulturelle und damit ihre nationale Identität finden ließ: das macht ihn zum Vermittler zwischen östlicher und westlicher europäischer Kultur- und Geistes-haltung, stellt ihn über alle Ost-West-Gegensätze.

Anmerkungen

1 E. Kayser, Bekenntnis zu Herder, in: Im Geiste Herders, hrsg. von dems., Kitzingen am Main 1953, S. 1–29 (= Marburger Ostforschungen I).

2 R. Unger, Hamann und die Aufklärung, 1911, S. 407 f. – Die Schriften von Lord u. a. Epenforschern sind zitiert bei W. Suppan, Artikel „Epos", in: Die Musik in Geschichte und Gegenwart 16, 1979, Sp. 101–114.

3 Zitate nach: J. G. Herder, Gesammelte Werke, hg. von B. Suphan, 33 Bde., Bln. 1877–1913; W. Wiora, Herders Ideen zur Geschichte der Musik, in: Im Geiste Herders..., s. Anm. 1; ders., Artikel „Herder", in: MGG 6, 1957, Sp. 2013–2014, mit weiterer Literatur.

4 W. Suppan, Volkslied. Seine Sammlung und Erforschung, 2. Aufl., Stuttgart 1978; ders., Volksmusik im Unterricht, in: Musikerziehung 32, 1978/79, S. 63–70; ders., Volksmusik seit 1800, in: Musikgeschichte Österreichs II, Graz u. a. 1979, S. 281–311.

5 W. Steinitz (Hrsg.), Haupt-Schmaler, Volkslieder der Sorben..., 2 Bde., Bln. 1953.

6 ebd., Vorwort.

7 Als Beispiel dafür: W. Hensel, Auf den Spuren des Volksliedes, 1944, Vorwort; die bezüglichen Sätze sind allerdings in einer Neuauflage des Büchleins, Kassel 1964, getilgt worden.

8 Kassel 1957.

9 Zitiert ebd., S. 161

10 E. Klusen, Volkslied. Fund und Erfindung, Köln 1969.

11 W. Wiora, Herders Ideen..., wie Anm. 3, S. 118.

12 W. Suppan, Anthropologie der Musik, Mainz (im Druck); ders., Werkzeug-Kunstwerk-Ware. Prolegomena zu einer anthropologisch fundierten Musikwissenschaft, in: Musikethnologische Sammelbände I, Graz 1977, S. 9–20.

13 Sofia 1977.

14 Sbornik Praci filosoficke Fakulty Brnenske University, H. 8, 1973, S. 95–124.

15 W. Wiora, Die rheinisch-bergischen Melodien bei Zuccalmaglio und Brahms, Kassel 1953.

16 Im Geiste Herders..., wie Anm. 1, S. 129–256.

17 Heidelberg 1933.

Todor Todorov

Rhythmisch-metrische Besonderheiten
der bulgarischen Volksmusik

Im Jahre 1913 veröffentlichte ein Forscher der bulgarischen Volksmusik, Dobri Christov, in der Ausgabe der Bulgarischen Akademie der Wissenschaften „Sammelbuch für Volksdichtung" seine Studie „Rhythmische Besonderheiten unserer Volksmusik".[1] Von den Wissenschaftlern wurde diese Studie verschieden aufgenommen. In Bulgarien wurde sie begrüßt, da sie eine Antwort auf eine die bulgarischen Musiker schon lange beschäftigende Frage gab. Was die Musikforscher im Ausland anbelangt, hat die Studie, wie sich Béla Bartók äußerte, „die Aufmerksamkeit nicht besonders auf sich gezogen, weil sie in bulgarischer Sprache gedruckt war". Sie zeigte aber eine Tatsache, die bis zu dieser Zeit noch unerforscht war – die besondere asymmetrische Metrik einiger Musikwerke, insbesondere im bulgarischen Volksmusikschaffen. Der Autor hat nachgewiesen, daß außer den asymmetrischen zweiteiligen und dreiteiligen Takten auch solche existieren, bei denen ein oder mehrere Taktteile das Verhältnis 2:3 gegenüber den „normalen" Hemiolen zeigen.
Diesem Problem hatte sich einige Jahre zuvor D. Christov zugewandt. 1908 hielt er auf dem Vierten Musikkongreß in Sofia ein Referat, betitelt „Rhythmische Besonderheiten unserer Volkslieder". Viel früher, schon 1905 sprach sich über dasselbe Problem Atanass Badev aus. Er nimmt aber den hemiolisch verlängerten Taktteil nicht an und empfiehlt eine Reihe von sich abwechselnden Takten – z. B. statt der $^7/_{16}$-Vorschrift schrieb er den Tanz „Ratschenitza" mit zwei $^2/_8$-Takten und einem $^3/_8$-Takt auf (2+2+3). Heute erkennen wir vollauf das Verdienst von D. Christov, daß er die Besonderheiten der bulgarischen asymmetrischen Metrik in einem harmonischen System zusammengefaßt hat. Die Tabelle, die er zuerst vorgeschlagen hat, wurde von den späteren Musikforschern nur noch ergänzt (Beispiel 1).

Die Frage der Notierung der Metren der bulgarischen Volksmusik hat diejenigen, welche sie fixierten, jedoch schon viel früher beschäftigt. Sie taucht gleich nach der Befreiung Bulgariens von fremder Herrschaft im Jahre 1878 auf, als das Land einen eigenen kulturellen Entwicklungsweg einschlug. Es ist interessant, daß anfangs dieses Problem als ein Streit zwischen erfahrenen Musikern entstand, und zwar zwischen solchen, die eine gute theoretische Ausbildung hatten und anderen ohne jegliche musikalische Vorbereitung, aber mit einem innigen Gefühl für den Charakter der Heimatmusik. Unmittelbar nach der Befreiung verfügte Bulgarien über keine eigenen ausgebildeten Musiker. Zunächst wurden solche bei den Militärblasorchestern ausgebildet, die ihrerseits durch die Abend- und Festtagskonzerte Verbreiter der neuen, sich von der Volkstradition unterscheidenden Musikkultur waren. Leiter dieser Blasorchester waren Kapellmeister aus dem Ausland. Sie entwickelten eine aktive schöpferische, musikalische Tätigkeit, indem sie eine Mehrzahl von Suiten bulgarischer Volkslieder schrieben. Nachdem die jungen Leute ihre Kenntnis der Notenschrift bei den Orchestern erhalten hatten, sollten sie alsbald feststellen, daß der Notentext des vom Kapellmeister aufgeschriebenen und harmonisierten bulgarischen Liedes den wahren Charakter seiner Metrik nicht wiedergibt. Und schon Ende der 80er Jahre entstand die Frage, auf welche Weise der wahre Charakter der Metrik der Volkslieder ausgedrückt werden soll, eines der populärsten Probleme in Musikkreisen. In seinem Artikel „Die Bedeutung und die Aufgabe unserer Ethnographie" schrieb damals der bulgarische Musikwissenschaftler Ivan D. Schischmanov „. . . die bulgarischen Lieder (Volkslieder) können sich den Gesetzen der westeuropäischen Lieder nicht anpassen. Die Regelmäßigkeit der Metrik fehlt. In diesem Falle soll der Aufschreibende alle Traditionen aufgeben und die Lieder mit verschiedenen metrischen Taktvorschriften aufschreiben und z. B. ¼ und ¾ wechseln usw."[2] Aber wie dieser Wechsel erfolgen sollte, war damals noch nicht klar.

Die Initiative für die Sammeltätigkeit im Bereich der Volksdichtung gehört Ivan D. Schischmanov. Das Auffinden und das Aufschreiben der Melodien sollten aber Leute ohne spezielle Vorbereitung in Angriff nehmen. Das war von besonderer Bedeutung. In ihrem Bemühen um eine befriedigende Notation waren sie nicht verpflichtet, sich an die erlernten klassischen Regeln zu halten. Die folgenden Entdeckungen kamen spontan, man war sich jedoch nicht immer ihrer Bedeutung bewußt. Immerhin wurde zu Anfang unseres Jahrhunderts ein großer Teil der metrischen Grundkombinationen entdeckt, die in die Systematik von Dobri Christov eingingen. Es wurde eine Fülle von Materialien und die erforderliche Erfahrung gesammelt auf Grund dessen A. Badev und D. Christov ihre theoretischen und zusammenfassenden Versuche beginnen konnten.[3]

Da in den Nachbarländern Bulgariens oder in ferneren Ländern, die schon über feste Forschungstraditionen verfügten, keine solchen metrischen Erscheinungen festgestellt werden konnten, war man der Auffassung, daß die Unregelmäßigkeit für die bulgarische Volksmusik charakteristisch sei. Es entstand der Begriff „Bulgarische Rhythmen". Im Interesse der Wahrheit sollten wir aber sagen, daß das Auftauchen dieses Begriffes kein bulgarisches Verdienst ist. Schon in seiner ersten Veröffentlichung „Rhythmische Besonderheiten unserer Volksmusik" sucht D. Christov gewissenhaft ähnliche metrische Erscheinungen in der Musik der Nachbarvölker. Er weist darauf hin, daß ⁵⁄₁₆ in der türkischen (persisch-arabischen) Musik auftreten und „ussul dshurdshina" genannt werden. In der türkischen Musik entdeckt er auch den Takt ⁹⁄₁₆, genannt „ussul aksak". Béla Bartók kommentiert dieses wie folgt: „Zur

Zeit wissen wir nur, daß sie auf bulgarischem Boden auf jeden Fall am besten bekannt und am weitesten verbreitet sind. Daher können wir sie, auch wenn sich eines Tages vielleicht herausstellen sollte, daß nicht Bulgarien ihre Urheimat ist, dennoch als bulgarischen Rhythmus bezeichnen. Verdanken wir es doch den Bulgaren, daß sie überhaupt bekannt geworden sind."

In der modernen bulgarischen Musikwissenschaft wird der Begriff „bulgarische Rhythmen" nicht verwendet. Als Klassifizierungsterminus wurde in der Vergangenheit der Terminus „ungerade Takte" und heute „unregelmäßige Takte" gebraucht. Einwände gegen den Begriff „Bulgarische Rhythmen", die in maßgebenden Forschungsarbeiten immer noch vorkommen, sind überholt.

Zur Entwicklung der metrischen Theorie der bulgarischen Volksmusik haben in den späteren Jahren Wassil Stoin, Stojan Dshudshev, Alexander Mozev, Nikolai Kaufmann, Todor Dshidshev beigetragen.

Obwohl wir heute über wesentliche Beiträge auf dem Gebiet der Strukturforschung der rhythmischen Erscheinungen verfügen, kann über die Lösung der Frage bezüglich der Herkunft dieser Erscheinung kaum etwas Wesentliches gesagt werden. Es ist klar, daß das unregelmäßige Metrum aus dem Erbe einer uralten musikalischen Kultur stammt, die im Altertum im südlichen und südwestlichen Teil des Schwarzmeerraumes existiert hat. Soweit die Volkskultur vor allem Rituskultur ist, können wir annehmen, daß deren Herkunft in dem den heutigen offiziellen Religionen – dem Christentum und dem Islam – vorausgehenden Ritus gesucht werden soll, und zwar im Schwarzmeerraum und Mittelmeerraum. Die späteren Weltanschauungsänderungen sind Ursache für gewisse Deformationen des alten Sinns der Ritusformen; auch erschwert die beträchtliche Anzahl der inzwischen vergangenen Jahre die Aufdeckung der Ureinheit und der ehemaligen Wechselbeziehungen zwischen den Rituskomponenten. Die „Dreieinigkeit" war gestört; Wort–Musik–Bewegung: jeder Bestandteil schlug einen selbständigen Entwicklungsweg ein. Heute begegnen wir den unregelmäßigen rhythmischen Kombinationen im Tempo giusto nicht nur in den Rituslieder und den Begleitmelodien des Tanzes. Die sich ändernden Umstände haben sich zweifellos auf die melodische und rhythmische Form ausgewirkt. Zur Zeit wird in Bulgarien eine Verarmung der Vielfalt von unregelmäßigen metrischen Kombinationen beobachtet, was das alte Repertoire anbelangt und gleichzeitig eine Wiedergeburt sowie ein Suchen nach neuen Formen, vor allem in der Instrumentalmusik.

Es muß festgestellt werden, daß die Volksmusiker in ihrem Schaffen keine symmetrischen und asymmetrischen Rhythmen unterschieden haben. Deshalb hatten sie keine Bevorzugung für die eine oder die andere Art. Ein gewisser Unterschied mit einer Art Charakteristik der Besonderheiten wird nur bei Tanzbegleitmelodien gemacht, wobei sich diese Charakteristik auf den Tanz bezieht – „kuzata" (Hinken) „Krivo Horo" (Krummer Reigen) „Lashi krsk" (Falscher Fuß).

Die asymmetrischen Kombinationen sind in Bulgarien nicht überall gleich verbreitet. Verhältnismäßig selten treten sie in den Rhodopen und im Stransha-Gebiet auf. Am häufigsten finden sie sich im Gebiet des zentralen und nördlichen Teils Westbulgariens. In den verschiedenen Gebieten werden die Tänze und die Reigen mit ein und demselben metrischen Takt verschieden benannt. In der Regel aber ist „Paiduschkoto" im $^9/_{16}$, „Gratscharsko Horo" im $^9/_{16}$, „Gankino Horo" im $^9/_{16}$, „Ratscheniza" im $^7/_{16}$, „Daitschovo Horo" im $^9/_{16}$ usw. Es ist interessant, daß die Weihnachtslieder den größten Reichtum an ungleichmäßigen Rhythmen aufweisen.

Ich möchte nun Ihre Aufmerksamkeit auf einen besonderen Ritualtanz im ²/₄, genannt „nestinarski tanz" richten, und zwar wegen der interessanten Improvisationen der begleitenden Trommel (Tapan), wenn die Mädchen am Feuer tanzen.

Beispiel 2

Wenn D. Christov es gelang, die Vielfalt der Hemiolen-verlängerten Takte der bulgarischen Volksmusik zu deuten, so bewies Wassil Stoin, daß die Asymmetrie sich analog auf verschiedenen Ebenen äußert: innerhalb des Takts, zwischen den einzelnen Taktteilen, in den sich periodisch wiederholenden Taktgruppen, in der Struktur der gesamten Form. So tritt der ⁵/₈-Takt (oder ⁵/₁₆) in einem raschen Tempo in den Kombinationen 2+3 oder 3+2 auf. Dies im Unterschied zum ⁵/₈ und ⁵/₁₆, welche nur mit zweitem verlängertem Taktteil vorkommen. Der nachfolgende Rhythmus ist nicht selten die Kombination 3+2, wie in unserem folgenden Beispiel:[4]

Beispiel 3

⁵/₈ und ⁵/₁₆ sind die Takte, die am häufigsten in der bulgarischen Volksmusik auftreten. Verschiedene Ritustänze, Volkstänze und einfache Lieder stehen in diesem Takt. Tänze in ⁵/₁₆ werden in der Regel „Paiduschko" genannt, aber auch „Kuzata". In diesem Takt ist auch ein großer Teil der Weihnachtslieder notiert. Unser Beispiel ist auch ein Weihnachtslied, das einem Junggesellen vorgesungen wird.

Lange Zeit haben einige Forscher das Vorhandensein des ⅞-Taktes, des Taktes des in Bulgarien populären Tanzes „Ratscheniza" bezweifelt. In der bulgarischen Volksmusik ist dieser Tanz in zwei Varianten bekannt – mit dem verlängerten ersten und mit dem verlängertem letzten Taktteil. Sein Tempo ist auch verschieden.

Das nächste Beispiel zeigt uns den Tanz in der Variante $\frac{2+2+3}{4}$ im Tempo $\quad = 104$.

Beispiel 5

Ein anderes Beispiel führt den Tanz in der Gliederung $\frac{3+2+2}{4}$ vor. Das Tempo ist $\quad = 138$.

Beispiel 6

Es finden sich Kombinationen beider Gliederungen in Spiegelsymmetrie
$$\frac{3+2+2 \;+\; 2+2+3}{4}\,.$$

Beispiel 7

Die sieben Grundwerte sind deutlich zu erkennen, auch bei einem schnellen Tempo, wenn der Tanz (mit der Tamburizza) instrumental vorgeführt wird. Jeder kleine Wert prägt sich deutlich aus. Und nun ein ⁷/₁₆-Takt mit verlängertem ersten Taktteil.

Beispiel 8

Die ⁷/₁₆-Vorschrift mit verlängertem drittem Taktteil ist das Bild des populären bulgarischen Tanzes „Ratscheniza". Dieser Tanz ist im ganzen Lande verbreitet. Es sind rasche und langsame Vortragsarten der „Ratscheniza" bekannt. Im langsamen Tempo steht das charakteristische „Dobrudschanski ratschenik". Unser Beispiel ist eine langsame Ratscheniza, getanzt in der Gegend der Stadt Kotel in Ostbulgarien.

Beispiel 9

Der %-Takt besteht aus vier Hauptwerten und findet sich oft in der bulgarischen Volksmusik. Er ist in zwei Kombinationen vorhanden: mit verlängertem viertem und zweitem Taktteil. Im ersten Beispiel sind die neun Grundwerte in vier Taktteilen gruppiert $\dfrac{2+2+2+3}{4}$.

Beispiel 10

In einem schnellen Tempo – im %₁₆-Takt – steht eine Anzahl von Reigen, die in den verschiedenen Gebieten verschieden genannt werden: „Daitschovo", „Djulgersko Horo", „Povtorno Horo" u. a. In der Praxis der Volksmusik wird das Lied von zwei Gruppen von Sängerinnen antiphonal vorgetragen.

Beispiel 11

Im %₁₆-Takt mit verlängertem zweiten Taktteil ist der sogenannte Reigen „Grantscharsko Horo". Dieser Metrumtyp tritt sehr häufig in den Weihnachtsliedern auf. In dem uns bekannten späten Weihnachtsritus begleitet er keine Bewegung oder einen Tanzschritt, aber er hat die deutliche Ausprägung der verlängerten und der nicht-verlängerten Taktteile bewahrt.

Beispiel 12

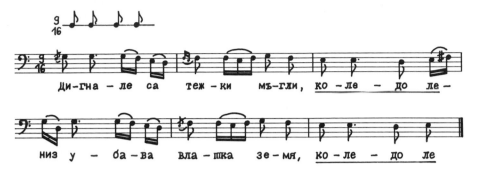

Wieder in den Weihnachtsliedern begegnen wir auch einer anderen interessanten metrischen Erscheinung – der Kombination der zwei Arten des $^9/_{16}$-Taktes.

Beispiel 13

Der $^{11}/_{16}$-Takt besteht aus $^7/_{16}$ + $^4/_{16}$. Er dient als Grundlage für mehrere populäre Reigen: „Kopaniza", „Gankino Horo", „Krivo Horo" usw. In diesem Takt steht folgende Melodie:

Beispiel 14

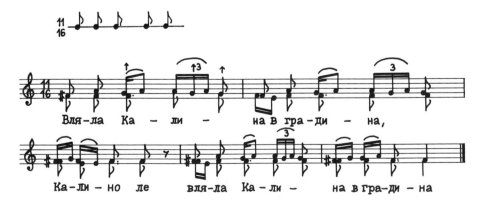

Demselben Takt mit verlängertem ersten Taktteil werden wir später in Kombination mit anderen Takten begegnen. Dem dreizehnteiligen Takt begegnen wir in drei Varianten: mit verlängertem sechsten, zweiten oder vierten Taktteil: Hier ein Beispiel mit verlängertem sechsten Taktteil.

Beispiel 15

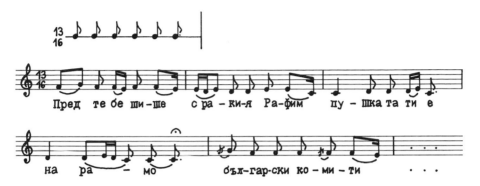

Die nächste Gruppe von asymmetrischen Takten zeigt zwei verlängerte Taktteile. Der erste davon, bestehend aus 8 Grundwerten, kommt in zwei Varianten vor: mit verlängertem ersten und dritten, oder zweiten und dritten Taktteil. Das Tempo ist verschieden – schnell oder langsam. Das Beispiel hat folgendes metrische Schema: $\frac{3+2+3}{4}$.

Beispiel 16

Der Takt mit acht Taktteilen in der zweiten Variante mit verlängertem zweiten und dritten Taktteil kommt selten vor. Unser Beispiel stammt aus Südostbulgarien und gehört dem sogenannten Liederzyklus „Na filek" an. Es handelt sich um Frühlingsspiele der Jugend, von Liedern begleitet, die ihren Rituscharakter jedoch bereits verloren haben. Sie wurden vor Ostern während der Fastenzeit gespielt, beim Verbot der übrigen Reigen und Volkstänze.

Beispiel 17

Der Takt mit 10 Grundwerten ist vierteilig und erscheint in einigen Varianten: mit verlängertem erstem und viertem Taktteil, oder drittem und viertem, oder erstem und zweitem. Unser Beispiel veranschaulicht die zweite Kombination:

Beispiel 18

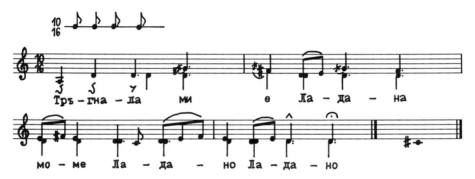

Die asymmetrischen Rhythmen können als eine Art Kombination von zwei oder mehr zwei- oder dreiteiligen Takten aufgefaßt werden. Die verschiedenen Arten von asymmetrischen Rhythmen stellen Kombinationen von zwei oder mehr asymmetrischen Takten dar, die sich periodisch wiederholen. Zum Beispiel ist $^{12}/_{16}$ eine Kombination von $^{7}/_{16}$ mit erster und dritter verlängerter Taktzeit und $^{5}/_{16}$; der Takt mit Nenner 13 kann sowohl fünf- als auch sechsteilig erscheinen. Der fünfteilige besteht aus $^{8}/_{16}$ mit zweitem und drittem verlängertem Taktteil und $^{5}/_{16}$. Der Takt mit Nenner 14 kann sowohl fünf als auch neunteilig erscheinen und tritt in zwei Varianten auf – mit dem fünfteiligen am Anfang (siehe Beispiel 19) oder mit dem neunteiligen am Anfang:

Beispiel 19

In Mittel-Westbulgarien kommen in den Weihnachtsliedern oft Kombinationen von verschiedenen Arten des ¹¹/₁₆-Taktes mit verschiedenen Arten des ⁷/₁₆-Taktes vor. Zum Beispiel ¹¹/₁₆ mit fünftem verlängertem Taktteil und ⁷/₁₆ mit verlängertem drittem Taktteil und ¹¹/₁₆ mit verlängertem drittem Taktteil.

Beispiel 20

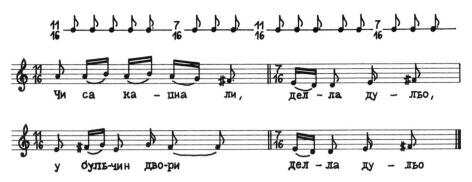

Im nächsten Beispiel sind die zwei Arten ¹¹/₁₆ mit ⁷/₁₆ mit verlängertem ersten Taktteil kombiniert.

Beispiel 21

Die angeführten Beispiele können keineswegs den ganzen Reichtum der bulgarischen Volksmusik zeigen. Angesichts der bestehenden Rhythmusvielfalt kann mit Recht die Frage nach der Zukunft der asymmetrischen Takte in der heutigen und in der zukünftigen schöpferischen Volkspraxis gestellt werden. Wenn heute ein großer Teil der alten Bräuche allmählich vergessen wird, vergeht mit ihnen zusammen auch die mit ihnen verbundene Musik.

Auch das Tanzrepertoire wird schmaler. Es scheint so, als ob die metrische Vielfalt der Volksmusik allgemein ärmer zu werden droht. Dies ist jedoch nicht der Fall. Die beschriebene Tradition wird in der Volksinstrumentalistik weiter geführt. Die Traditionsträger sind die professionellen Volkssänger. Dies sind Musiker mit oder auch ohne musikalische Ausbildung, beherrschen aber ihr Instrument stets meisterhaft. Sie interpretieren Volksmusik, erwecken schon in Vergessenheit geratene interessante Werke der musikalischen Volkskunst zu neuem Leben oder schaffen selbst neue im Geiste der Tradition. Der Unterschied zur ehemaligen Aufführungspraxis besteht darin, daß die heutige Volksmusik in der Regel nicht als eine Tanzbegleitung, sondern für sich selbst als eine selbständige Musik existiert. Das spezifisch Originelle sehen die Volkssänger sehr oft gerade in der Metrik. Es werden Volksmusikstücke ausfindig gemacht und popularisiert, die eine interessante Metrik aufweisen. Hier einige Beispiele: Zuerst „Grantscharsko Horo" – 9/16 mit zweitem verlängertem Taktteil.

Beispiel 22

Ein 11/16 mit verlängertem dritten Taktteil ist „Gankino Horo".

Beispiel 23

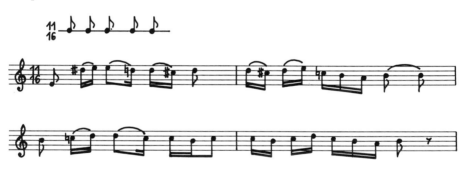

Das „Krivo Horo" im 13/16 mit verlängertem vierten Taktteil.

Beispiel 24

Nicht selten werden auch solche metrischen Kombinationen geschaffen, die in dem alten Volksrepertoire nicht vorkommen. Diese Stücke wirken aber durch ihren dynamischen Rhythmus und lassen keineswegs den Eindruck zu, daß sie etwas Fremdes für die originale Volksmusik darstellen.

Beispiel 25

Natürlich, es ist nicht die Metrik allein, welche die Musik eines Volkes interessant macht. Das bezieht sich auch auf die bulgarische Volksmusik. Ihre Tonalität, ihre mundartlichen melodischen Besonderheiten, die so deutlich auf dem verhältnismäßig kleinen Territorium Bulgariens ausgeprägt sind, weisen interessante Besonderheiten auf.

Anmerkungen

1 Д. Христов, Ритмични основи на народната ни музика. – СбНУ, 1913, т. 27.
2 Ив. Д. Шишманов, Значението и задачата на нашата етнография – Сб НУ, 1889, т. 1.
3 Hier werden wir nicht die Präzision aller Bezeichnungen, verwendet von D. Christov, behandeln.
4 Béla Bartók, Der sogenannte bulgarische Rhythmus.

Vasile Tomescu

George Enescu, Synthese zweier Welten

Das Thema dieses Referats wurde von den Organisatoren der 23. Internationalen Hochschulwoche der Südosteuropa-Gesellschaft angeregt und bietet eine vorzügliche Gelegenheit, den schöpferischen Weg des großen rumänischen Komponisten zu verfolgen, der kürzlich unter der Schirmherrschaft der UNESCO in der ganzen Welt gefeiert wurde. Ein Jahrhundert seit der Geburt von George Enescu, das bedeutet nicht nur die Anerkennung und den Durchbruch einer der wichtigsten Persönlichkeiten der zeitgenössischen Musik, sondern auch die Konsekrierung der modernen rumänischen Musikschule in einem weltweiten Sinne. Gewiß, die „beiden Welten" der europäischen Musikkultur stellen nicht zwei antinomische Aspekte der Tonkunst dar, die ja eine Weltsprache par exellence ist, sondern zwei komplementäre und konvergierende Aspekte, die im Werk von Enescu eine besondere originelle und prägnante Bestätigung erfuhren. Tatsächlich entstand das Œuvre Enescus am Schnittpunkt von zwei musikalischen Bereichen, wie dies im übrigen auch im Werk anderer Exponenten der modernen nationalen Musikschulen der Fall ist, deren Centenarium in den Jahren 1981–1982 gefeiert wurde: Bartók, Strawinsky, Kodály, Szymanowski. Alle diese Musiker stellen, jeder auf seine ihm eigentümliche Art, den Augenblick einer erneuernden und schöpferischen Begegnung zwischen der Kunst West- und Osteuropas dar, zwischen der von hoher Gelehrsamkeit getränkten und der nationalen Volkskunst, zwischen der Tradition und den Errungenschaften jeder Epoche. Mehr als jemals in der Vergangenheit begreift das musikalische Europa unserer Zeit den einheitlichen Charakter in der Vielfalt seiner Kulturen – ein Problem mit bedeutenden Implikationen auf den Gebieten der Komposition, Interpretation und der Musiktheorie. Wenn ein Werk von der Bedeutung eines Jacques Chailley „40.000 ans de Musique" (Paris, Plon, 1961) hervorhebt, daß die ältesten Beweise für eine musikalische Tätigkeit in der Geschichte der Tonkunst die Höhlenzeichnungen der Grotte „Le trois frères" von Ariège in den französischen Pyrenäen zu finden sind, die einen Menschen darstellen, der auf einem Cordophon spielt, um eine Rentierherde zu verzaubern, so weisen neuere Forschungen über die Zivilisation des Paläolithikums in Osteuropa auf authentische Musikinstrumente hin, die, nach der Radiokarbon-Methode (C 14), ein ähnlich hohes Alter aufweisen. Es handelt sich hier um das Bild einer Hirtenpfeife aus einem Bärenknochen, die am Mittellauf der Donau (bei Istallosko, Nordungarn) entdeckt wurde und ein Alter von 30 900 Jahren aufweist, sowie um eine Hirtenpfeife aus Rentierknochen, die in den Nordkarpathen ausgegraben wurde und aus dem Magdalenien stammt, mit anderen Worten 10 000 Jahre alt ist. Äußert sich das Problem der Polygenese durch relativ ähnliche Ausdrucksformen und verleiht der Mythologie, Kunst und Folklore einen gewissermaßen planitarischen Charakter, kann die Art der Geistigkeit einer ethnischen Gemeinschaft immer nur eine originelle und charakteristische sein. Die Ausdrucksformen der alten autochthonen Kultur des Raumes zwischen Karpathen, Donau und Schwarzem Meer, in dem das rumänische Volk seine historische und geistige Kontinuität behauptet, klingt in den Schöpfungen der Folklore nach, die die Inspirationsquelle und das Studienobjekt für die Musiker der modernen und zeitgenössischen Epoche darstellen. Solchen für die geistige Kontinuität der Rumänen charakteristische Ausdrucksformen begegnen wir in der berühmten Volksballade „Miorița" (Das Lämmchen) – eine aufwühlende Reflexion über den Tod als eine Integration in einem ununterbrochenen Zyklus der Generationen in der Natur – oder in der Ballade vom Meister Manole, die das Szenarium eines archaischen Opfermythos als Urbedingung für die Dauer des von Menschenhand geschaffenen Werkes darstellt (M. Eliade) und den C. Brăiloiu das „frühere Leben" nannte. Die materiellen Monumente der einheimischen archaischen Kultur sowie die Spuren, die in den volkstümlichen Epen überdauerten, beziehen sich alle auf den Menschen in seinem Verhältnis zu den fundamentalen Begriffen und Gegebenheiten, in denen sein Leben abläuft: Erde, Sonne, Naturkräfte, der Kult der chtonischen Gottheiten, wie sie auf den figürlichen Darstellungen von Tänzerinnen auf Gefäßen, „Hora" – Untersätze genannt, vorkommen und die der neolithischen Kultur der Nordmoldau des 4.–5. Jahrtausends angehören und die Verbundenheit mit der Erde, der „Scholle" symbolisieren. Ihre Entsprechung finden wir in der oltenischen Totenklage „Erde, du Erde, ich will dir etwas singen" (Bsp. 1).

Beispiel 1

Ebenso bewahren die bronzezeitlichen Statuetten von Tänzerinnen, die mit erhobenen Armen das Tagesgestirn anrufen, den Sonnenkult. Auch finden sich Nachklänge in den Erntegesängen und in den Hochzeitsriten, wie beispielsweise die Melodie „Es tritt die Mutter der Braut heraus und betet zur Sonne", die in der Umgebung von Făgăraș aufgezeichnet und von der großen Volkssängerin Maria Tănase interpretiert wurde. Hier wird der Kontrast zwischen dem archaischen Hintergrund der Melodie, die einen Prototyp der Einstimmigkeit darstellt, und dem modernen Charakter der Begleitung besonders deutlich, was auf eine kontinuierliche Entwicklung des schöpferischen Geistes in der Folklore hinweist.
Die Feiern zur Gründung des ersten zentralisierten dakischen Staates unter Burebista vor 2050 Jahren im Jahre 1980 warfen ein neues Licht auf das reiche geistige Leben der Ahnen des rumänischen Volkes. Dieser Aspekt ist repräsentativ für die klassische Antike und das Ergebnis einer Synthese der trakisch-getischen Kultur nach ihrem Kontakt mit der hellenistischen Zivilisation an den Ufern des Schwarzen Meeres. Das ging besonders deutlich aus der Ausstellung hervor, die von unserem Lande in der Bundesrepublik Deutschland anläßlich des erwähnten Ereignisses organisiert wurde. Bedeutende Schriftsteller der griechisch-römischen Antike, Musikographen wie etwa Satiros aus Callatis, die an der Küste der Dobrogea geboren wurden, bestätigen die Existenz der Musik im Raume der Karpaten, Donau und Schwarzem Meer, in dem sich die rumänische Kultur heranbilden sollte. Wir verdanken Martin Opitz, dem „Vater der neueren deutschen Poesie", dem Autor des

Librettos der ersten deutschen Oper („Daphne" von Heinrich Schütz, 1627), der als Lehrer in Alba Iulia, der damaligen Hauptstadt Siebenbürgens wirkte, wichtige Beobachtungen, die er dank seines unmittelbaren Kontaktes mit dem rumänischen Alltag machte. In seinem Poem „Zlatna oder über die Ruhe der Seele", das um 1623 entstand, schrieb Opitz: „So nahe sind verwandt Walachis und Latein. /Es steckt manch edles Blut in kleinen Bauernhütten/ Das noch den alten Brauch und Art der Alten Sitten/ Nit gäntzlich abgelegt. Wie dann ihr Tantz anzeigt/."

In unserer modernen Epoche unterstrich ein bedeutender Musikwissenschaftler, W. Danckert, eine Koryphäe der deutschen und internationalen Kultur: „Die altmittelmeerländische Grundlage der rumänischen Volksmusik tritt in den Grundformen melodischer Bewegtheit, im Rhythmusempfinden, in Tonraum und Zeitgestaltung, in Klang und Vortrag zutage. Manche Charakterzüge, die das italienische Lied nur verblaßt, verhüllt durch kunstmusikalischen Firniß bekundet, läßt rumänisches Singen in elementaren, urwüchsigen Formen erkennen.

Ganz wesentlich ist vor allem die unverfestigte, gewöhnlich offen ausklingende Tonartfügung, das beständige Schweben der Linie, das sich einem spurigen Richtungszwange nach der Höhe oder der Tiefe entzieht. Dieser gelösten Bewegungsform entsprechen Vielzahl und reiche Abstufung der Kadenztöne."

In die gleiche Richtung weisen auch die Ansichten von Roberto Leydi, nach denen der alten Musikkultur der südlichen und mediterranen Zonen auch die rumänische Volksmusik angehört: Die reinen melodischen Strukturen, die modale Grundlage vom orientalischen Typus, die Tendenz zu Melismen, die Präponderanz der solistischen Interpretation, die Emission mit geschlossenem Kehlkopf mit starker hoher, lacerata-Stimme, freie architektonische und rhythmische Strukturen, sowie das Überwiegen der lyrischen Gattungen. Wir möchten dazu die rein vokale Konzeption hinzufügen, „deren mehrstimmige Elemente wie der Ison und die Heterophonie diese Eigentümlichkeit nur unterstreichen". Was die Grundelemente der Musik der verschiedenen Völker Nordeuropas angeht, wären diese folgende: Melodische Typen mit harmonischen Valenzen, deren Grundlage das tonale Dur-Moll-System darstellen, die Vorherrschaft des Chorgesanges, regelmäßige rhythmische Strukturen, strophischer, häufig ritornellartiger Bau, starke Entwicklung der epischen Gattungen. Die Mehrstimmigkeit stellt den grundlegenden Beitrag dar, den die germanischen und slawischen Volker in der europaischen Musik leisteten; entweder im Sinne einer horizontalen Entwicklung der Stimme (Polyphonie) oder im Sinne einer vertikalen Orientierung (Harmonie).

Relevant für die antike Monodie, die in der Einstimmigkeit der Volksmusik der lateinischen und mediterranen Völker wurzelt, will uns ein Notendokument scheinen, das ein melodisches Fragment enthält, das vom Flötenspieler Flaccus für die Aufführung der Komödie „Hecyra" von Terenz komponiert wurde und im Jahre 166 v. Chr. uraufgeführt wurde. Es handelt sich um den Vers 661, in dem jedes Wort

Beispiel 2

159

der sechsfüßigen Jamben mit griechischen Notenzeichen versehen ist, die von
Th. Reinach in moderne Notenschrift transkribiert wurden. Das Intervall zwischen
drei Tönen, das die Achse dieser jahrtausendalten Melodie darstellt (Bsp. 2), kommt
häufig in der einstimmigen italienischen Musik vor, wie etwa diese Canzuná siciliana
(Bsp. 3). Und gerade dieses Intervall, das dem archaischen modalen System zuge-
hört, das für viele rumänische Volksmelodien spezifisch ist (Bsp. 4), erklingt am
Schluß der Rhapsodie Nr. 2 von George Eneseu. Das Vorhandensein der übermäßigen lydischen Quart in den monodischen byzantinischen Gesängen beweist, daß
dieses Intervall, das im Mittelalter „Diabolus in musica" genannt wurde, einen
wahren „nisus formativus" des archaisch-modalen Systems verkörpert, wie beispielsweise ein Gesang aus dem ersten Viertel unseres Jahrtausends, der vom Byzan-
tinologen Ioan D. Petrescu transkribiert wurde. Im allgemeinen finden wir die
Eigentümlichkeiten der monodischen Musik orientalischen und südeuropäischen
Ursprungs, die eine der beiden Welten der Musik auf unserem Kontinent darstellt,
im musikalischen Volksgut dieser Zone wie auch in der byzantinischen Musik wieder, die, weitervererbt, sich in den Zentren der rumänischen Kultur entwickelte.
Das älteste Denkmal dieser Art ist das Evangeliar aus dem 10.–11. Jahrhundert, das
von Prof. Grigore Panţiru transkribiert wurde. Dieses Erbgut wurde von den rumänischen Komponisten in einzigartigen Formen verwendet, wie etwa im Weihnachts-
und Osteroratorium von Paul Constantinescu, deren Partituren im Bärenreiter-
Verlag, Kassel, erschienen und die ich einzuleiten die Ehre hatte. Sie wurden später
auch aufgeführt und in Ost- und Westeuropa auf Schallplatten eingespielt.
Um das Jahr 1030 stellte ein Musiker aus Deutschland namens Walterus, der als
Lehrer an der Schule für gregorianischen Gesang in Cenad an der Mureş wirkte, die
vom Venezianer Girardus gegründet worden war, die Existenz eines Nachtgesanges
fest, der ein Lied, eine melodische Linie und kein Chorgesang war (Iste modulation

carminis est). Aufgrund der musikalischen Beiträge von Komponisten des 16.–18. Jahrhunderts, wie Valentin Backfark, der siebenbürgisch-sächsischer Abstammung in Brașov geboren wurde und ein Komponist und Lautenist von europäischem Ruf war, Ioan Căianu, rumänischer Organist und Verfasser einer wertvollen Anthologie, sowie anderer Musiker wie H. Ostermeyer, G. Reilich, P. Schimert, von denen einige, wie aus dokumentarischen Quellen hervorgeht, Schüler von Johann Sebastian Bach waren, weiterhin Dimitrie Cantemir, Fürst der Moldau und berühmter Gelehrter, Mitglied der Berliner Akademie, von Voltaire hochgeschätzter Verfasser von Sammlungen und Lehrbüchern über die orientalische Musik, wird nunmehr die Musikkultur auf allen rumänischen Gebieten erblühen, um im 19. Jahrhundert einen bedeutenden Erneuerungsprozeß zu erleben. Folkloresammler, Komponisten und Interpreten brachten Gesänge und nationale Tänze ans Licht, die den Ausgangspunkt für eigenständige, originale Schöpfungen darstellten. Das Erscheinen einer Persönlichkeit, welche die rumänische Musikkultur auf dem Niveau der Weltmusik repräsentieren sollte, wurde zu einer akuten Notwendigkeit. George Enescu, Sproß der rumänischen Erde, nahm den Gesang und den Tanz seines Volkes wie seine Muttersprache in sich auf. Dank seines außergewöhnlichen Assimilierungsvermögens zeichnete er sich schon ungewöhnlich früh in der Violinklasse von S. Bachrich und Joseph Hellmesberger jun. am Konservatorium für Musik und darstellende Kunst in Wien als Preisträger der Gesellschaftsmedaille aus, später als Schüler in der Violinklasse von P. Marsick und in der Kompositionsklasse von J. Massenet und G. Fauré am Conservatoire National de Musique in Paris. Enescu reifte im Ambiente der großen musikalischen Traditionen. Nach seinem eigenen Zeugnis verehrte er Mozart wegen seiner vollendeten Meisterschaft, weil er „direkt auf sein Ziel losging und auch sogleich fand"; Beethoven verstand er bereits mit vierzehn Jahren „vollkommen"; Schubert und Schumann hielt er für aufwühlend und unwiderstehlich und über Brahms und Wagner sagte er, daß diese „mein Gehör und mein Leben beherrschen. Ich verstand sogleich, daß dies die Musik ist, meine Musik. Sie waren und sind meine Götter." Rückblickend, auf dem Gipfel seiner Reife, bemerkte er, daß „Bach seit einem halben Jahrhundert mein täglich Brot war". Doch nicht weniger Affinität hatte er zu der Kunst der alten Italiener, der französischen Romantiker und Modernen, sowie zur Musik der europäischen Nationalschulen. Dieses ist der Ausgangspunkt des großen Bogens, den Enescu durchmessen sollte.

„Seltsam", erinnerte sich der Meister, „daß ich schon als kleines Kind die fixe Idee hatte, Komponist zu sein. Nur Komponist zu sein." „Poema Română" für Orchester op. 1, das er mit 16 Jahren komponierte, ist die erste Demonstration Enescus von der Möglichkeit einer Fusion zwischen einstimmigem Volksmelos, das latente Reserven von harmonisch-orchestralen Entwicklungen und Variationsmöglichkeiten vom heterophonischen Typus aufweist und der angeborenen Begabung des Komponisten zum Sinfoniker. Der Zeitpunkt war um so einschneidender, als die Musik Westeuropas, seine Poesie und Malerei, im Kontakt mit den „exotischen" Kulturen und vor allem durch den Beitrag des Impressionismus neue Horizonte suchte. Nachdem Ch. Gounod einen „Danse roumaine" für Orchester komponierte, entdeckte Erik Satie die Schönheiten der Melodien, die rumänische Volkssänger bei den Veranstaltungen anläßlich der Pariser Weltausstellung im Jahre 1889 darboten. Die Frucht dieser Begegnung Saties mit der rumänischen Folklore war die Klaviersuite „Les Gnossiennes", in der er die Schönheiten des antiken Palastes von Knossos beschwor, eine Arbeit, die eine modal-harmonische Sprache und die „offene" musikalische Form als unterscheidende Merkmale zum Impressionismus vorwegnahm (Bsp. 5).

Beispiel 5

Was Enescu angeht, bewogen ihn tiefgehende persönliche Motive die „Poema Română" zu komponieren und auf diese Weise eigenen, neuen Ausdrucksmöglichkeiten nachzuspüren. „Ich versuchte einige meiner Kindheitserinnerungen in diese sinfonische Suite zu transponieren oder, genauer gesagt, zu stilisieren", erinnerte er sich später. „Es war eine weit zurückklingende Beschwörung, die das Bild der heimatlichen Erde, die ich acht Jahre vorher verlassen hatte, wiedererweckte. Auch heute finde ich in dieser Arbeit den Zauber und die Landschaften meiner Heimat wieder." Dieses Werk wurde von bekannten Musikern wie A. Gedalge und C. Saint-Saëns, berüchtigt ob der Strenge ihres Urteils, hoch eingeschätzt und erlebte unter der Leitung von Ed. Colonne im Jahre 1898 in Paris seine Uraufführung und einen Erfolg, der sich bald in vielen anderen Ländern und Städten Europas und Amerikas wiederholen sollte.

Bis zur Schwelle des 20. Jahrhunderts komponierte Enescu vor allem kammermusikalische Werke, die von bekannten Künstlern wie z. B. A. Cortot interpretiert wurden. „Mit der zweiten Sonate für Violine und Klavier und meinem Oktett für Streicher wurde ich meiner raschen Fortschritte bewußt und fand zu mir selber", präzisierte der Komponist. „Bis dahin schwankte ich. Doch beginnend von jenem Augenblick fühlte ich mich imstande, auf eigenen Füßen zu stehen." Die 2. Sonate enthüllt die starke Persönlichkeit des Meisters, obwohl in ihr noch der Geist von Brahms spürbar ist. Die monodisch exponierten Themen werden meisterhaft entwickelt und verraten latente harmonische und polyphone Valenzen. Bedeutend erscheint die zyklische Entwicklung des thematischen Materials nach dem Modell von César Francks Prinzip der Einheit in der Vielfalt. Über das Konzept, das dem Oktett für vier Violinen, zwei Bratschen und zwei Celli zugrunde liegt, äußerte sich der Komponist folgendermaßen: „Mit diesem Werk stellte ich mir eine Aufgabe, die weniger einen persönlichen Stil anvisierte, sondern eher das architektonische Gleichgewicht. Ich kämpfte mit einem Konstruktionsproblem und wollte dieses Oktett in vier ineinander übergehenden Sätzen schreiben, aber gleichzeitig die Autonomie jedes Satzes respektieren, so, daß das Ganze eine einzige, große, extrem erweiterte Sonate sein sollte." Tatsächlich fesselte das Oktett durch seine großzügige Melodik, seine kontinuierliche musikalische Bewegung, durch sein außerordentlich polyphones Relief. „Ich bin im wesentlichen ein Polyphoniker und keineswegs ein Mann der schönen, aneinandergereihten Melodien. Ich hege einen ausgesprochenen Widerwillen gegen alle Stagnation ... Für mich ist die Musik kein Zustand, sondern eine Aktion, ein Ensemble von Sätzen, die Ideen ausdrücken und von Bewegungen, die diese Ideen in die eine oder andere Richtung weitertragen. Die harmonischen Verkettungen glaube ich, sind in engem Zusammenhang mit der elementaren Improvisation. Wie kurz sie auch sein möge, verdient nur dann ein Werk die Bezeichnung Komposition, wenn eine Linie, eine Melodie oder, besser, eine Überlagerung von Linien erkennbar wird. Was jedoch nicht heißen will, daß ich für den Kontrapunkt und gegen die Harmonie bin."

Der weite Atem der polyphon entwickelten Melodie, die das eigentliche Ideal der deutschen Musik darstellt, beweist die Kraft, mit der es Enescu gelang, den klassischen Formen der Sinfonik neues Leben einzuhauchen. Gleichzeitig verrät eine gewisse Klarheit des Denkens, das Raffinement und die Transparenz seiner Bilder eine strukturelle Bindung zur lateinischen Empfindungswelt. Doch handelt es sich letzthin um eine Musik rumänischer Prägung, die den persönlichen Stempel von Enescu trägt: „Auch dann, wenn wir nicht ausgesprochen in spezifisch rumänischer

Art schreiben, existiert in unseren Werken etwas, das uns von allen anderen unterscheidet. Mein Oktett für Streicher, das Kneisel aufführte, erschien allen Fremden als dem Osten zugehörig. Kneisel selbst sagte: ‚Wenn ich dieses Oktett höre, erinnere ich mich an Rumänien.‘ "

Nach seiner endgültigen Anerkennung als Geigenvirtuose, der er sich seit dem am 11. Februar 1900 in einem von Colonne veranstalteten Konzert mit Werken von Bach und Saint-Saëns erfreute, widmete Enescu seine gesamte Energie der kompositorischen Tätigkeit. In den Jahren 1901–1902 kehrte er zur Verwendung von Volksmelodien als Grundlage seiner Werke zurück, so wie er es bereits in seiner „Poema Română" getan hatte. Das Ergebnis dieses schöpferischen Impulses waren die „Rumänischen Rhapsodien", in denen er Melodien verwendete, die er aus dem Repertoire bekannter Sänger und Virtuosen der Panflöte und der Cobza (zehnsaitige Laute) übernahm. Enescu baut diese Melodie so meisterhaft, indem er sie mit „dynamischen" Valenzen versah, sodaß sie in der ganzen Welt zu tönenden Trägern der rumänischen Geistigkeit wurden.

Auch heute noch verblüfft das organische Verhältnis zwischen kompositorischer Technik und Schlichtheit des Ausdrucks, zwischen dem Relief der melodischen Entfaltungen und dem harmonisch-orchestralen Kolorit. Das Geheimnis dieser Meisterschaft enthüllt der Autor selbst: „Eine Melodie, und vor allem eine Volksmelodie, hat ihre natürliche Harmonie. Jede andere Harmonie läuft Gefahr, ihren Charakter zu verderben und ihre Bedeutung zu verändern. Nach meiner Meinung gehört die natürliche Harmonie einer Melodie, die allen gehört – tatsächlich allen."

Die Rumänische Rhapsodie Nr. 1 A-Dur ist ein von pittoreskem Leben erfülltes Poem. Das musikalische Material wird vorwiegend tänzerisch verwandelt, wobei die lebhafte, mitreißende Rhythmik mit Momenten abwechselt, die für die improvisatorische Begabung des volkstümlichen Komponisten bezeichnend sind.

Die Rumänische Rhapsodie Nr. 2 D-Dur über das bekannte Thema einer Ballade vermittelt mit epischem Pathos Bilder aus der Geschichte des Landes, die in den moldauischen Chroniken verzeichnet sind. In der Periode, als er seine Rhapsodien komponierte, setzte er die sinfonische Linie im Geiste der großen Errungenschaften der Weltmusik mit der Konzertanten Sinfonie für Cello und Orchester fort, ein Werk, das eine komplexe Textur und einen expressiven und eindringlichen Kontrapunkt aufweist. Die nächstfolgende höhere Etappe seines Schaffens, die durch den Verzicht auf authentisches folkloristisches Material zugunsten von Werken im Geiste der Volksmusik gekennzeichnet ist im Sinne einer parallelen Neuschöpfung des nationalen Melos, wird in seinen sinfonischen Werken mit der Suite Nr. 1 D-Dur eingeleitet, die im Jahre 1903 in Bukarest unter der Leitung des Autors zum ersten Male erklang. Wie in seiner zweiten Klaviersuite aktualisiert Enescu den Charakter der alten Suite und erfüllt diese mit dem seiner Persönlichkeit eigentümlichen poetischen Atem. Von hervorragender Bedeutung ist das Unisono-Vorspiel dieses Werkes, das aus einer einzigen, kontinuierlichen Melodie aus drei Motiven besteht, die unisono vom Streichquartett vorgetragen werden. Die Motive werden monodisch entwickelt. Dies geschieht mit einer solchen Erfindungskraft, daß eine Atmosphäre echter poetischer Reflexion entsteht, die unmittelbar an die rumänischen Doinen erinnert. Das Vorspiel wurde vom Komponisten Zoltán Kodály in seinem Kompositionslehrgang als ein Modell für die Transfiguration des Volksliedes und gleichzeitig, neben der Air aus der Suite Nr. 3 für Orchester von Johann Sebastian Bach, als eine der interessantesten Monodien der Musikgeschichte zitiert (Bsp. 6).

Beispiel 6

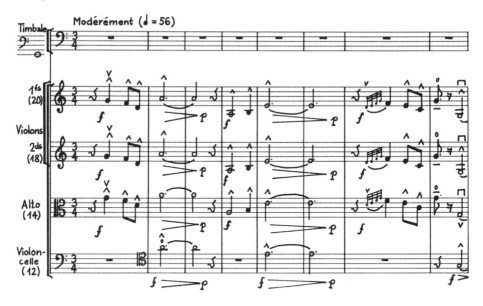

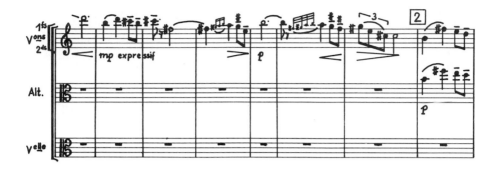

Die 1. Sinfonie Es-Dur, die zum erstenmal in Paris im Jahre 1906 aufgeführt wurde, besteht aus drei Teilen, nach dem Modell, das durch C. Franck etabliert wurde. Diese relative Konzentrierung der Proportionen wird vom thematischen Relief, von der Klangdichte und der Monumentalität der Formen kompensiert, die an die Sinfonien von Brahms erinnert und von der blühenden Chromatik und reichen Orchestrierung, die ein Echo auf die Musik von Berlioz und Wagner darstellte. Die Ausgewogenheit, die Kursivität der Form und ihre robuste Ausdruckskraft brachte diesem Werk den Namen der „Eroica Enescu's" ein und stellt Enescu in die Reihe der bedeutendsten Fortsetzer der großen sinfonischen Tradition im 20. Jahrhundert. Der Mittelteil (Langsam), eingebaut zwischen zwei lebhafte, kräftig rhythmisierte, auf Gegensätzlichkeit und thematischer Arbeit beruhenden Sätze, stellt ein spezifisches Moment der Sinfonik von Enescu dar und ist von einer unvergleichlichen lyrisch-dramatischen Tiefe. Ein aus drei Tönen bestehendes Motiv wiederholt sich ostinat wie ein Schicksalsruf, wie ein prophetisches Memento, das mit der dominierenden kraftvollen und lebendigen Atmosphäre kontrastiert.

In den folgenden Jahren schuf Enescu weitere bedeutende Werke wie das Dixtuor für Bläser und die 7 Lieder auf Verse von Clement Marot. Über das Dixtuor für Bläser notiert J. Huré in „Le Monde Musical" aus dem Jahre 1907: „Es handelt sich in Wirklichkeit um eine wundervolle Sinfonie in D, die eine vollkommene Form aufweist, doch ist diese formale Perfektion nichts gegen die tiefe Emotion, das intensive Leben, das durch dieses neue Werk von Enescu pulst. Ich suche einen Mangel festzustellen und finde keinen. Welch eine tönende Varietät, welch eine wunderbare Kombination der Timbres! Diese zehn Blasinstrumente klingen wie ein großes Orchester. Wer ist der große Meister, der es wagt, eine so breit angelegte Sinfonie für relativ monotone Timbres zu schreiben?" In der Behandlung der Instrumente zeichnet sich die Vorliebe Enescu's für subtile polyphone Gewebe ab, die reich in expressiven Nuancen von Anklängen an die Volksmusik durchwoben und von poetischen Bildern beherrscht werden. Die Verse von Clément Marot und mehrerer moderner Lyriker, darunter Carmen Sylva, geboren zu Neuwied am Rhein, inspirierten ihn zu Liedern, die seinen Sinn für Zärtlichkeit, Reinheit und Raffinement, seinen Humor und tiefschürfende Kontemplation der Natur bezeugen.

Mit der 2. Sinfonie, die 1915 in Bukarest aufgeführt wurde, ein großangelegtes Werk, eine stark persönlich gefärbte Synthese von Brahms bis Strauss, bestätigt Enescu seinen bisherigen schöpferischen Weg auf diesem Gebiete höchster Komplexität. Es folgte die 3. Sinfonie C-Dur, ein Echo der dramatischen Jahre 1916–1918;

sie wurde in Bukarest im Jahre 1919 unter der Leitung des Komponisten uraufgeführt und später in Paris unter G. Pierné. Sie entstand unter dem Eindruck des Ersten Weltkrieges, weist jedoch keinen programmatischen Charakter, sondern eher eine psychologische Atmosphäre auf, die aus den drei Sätzen hervorgeht: zunächst von Spannung gekennzeichnet, dann vom vorübergehenden Sieg der negativen Kräfte, um nach Kampf und Leiden mit einer durch Opfer gewonnenen Aufhellung zu enden. Die Sinfonie drückt Seelenzustände aus, wobei heroisches Pathos und edle Poesie wechseln, aufwühlende Bilder des Krieges mit Erfüllung der Friedenssehnsucht. Die Entwicklung des thematischen Materials erreicht mit Hilfe eines gewaltigen Orchesterapparates epische Proportionen. Im Finale erklingt das Gefühl der wiedergewonnenen inneren Ruhe auf, das durch den Einsatz des Chores unterstrichen wird. Die Fusion zwischen Orchester, Orgel und menschlicher Stimme stellt eine ähnliche Apotheose des Friedens und der Verbrüderung dar, wie es das Finale der 9. Sinfonie von Beethoven ist. Die Affinität mit der geistigen Welt Rumäniens verdeutlicht sich in ihrem zutiefst humanistischen Konzept und ihrer musikalischen Substanz.

„Oedip" ist der Ausdruck eines originalen Beitrages, dessen Gedankenwelt und Sensibilität tief in den Zeiten wurzeln, in jener Erde in der Legende und Wirklichkeit verschmelzen. Wie die Tragödie von Sophokles, an die Enescu anknüpft, stellt die Oper die künstlerische Transfiguration der erhabensten menschlichen Bezüge dar: Das Bemühen um Erkenntnis, den Triumph der moralischen Tugend über das blinde Schicksal, Niederlage des unerbittlichen, unausweichbar scheinenden Urteils des Geschicks. „Ich wollte aus meinem Oedip keinen Gott machen", sagte Enescu, „sondern ein Wesen aus Fleisch und Blut wie Sie und ich. Wenn einige Züge, die ich ihm verlieh, manche Menschen beeindruckten, dann aus dem einen Grunde, weil sie in seinen Tränen ein brüderliches Echo heraussspürten... Mit diesen guten Vorsätzen ging ich an die Arbeit. Werde ich ein System benützen? Mitnichten. Kein System, zumal wenn erkennbar wird, daß die Verwendung des Leitmotivs nicht ein System, sondern ein Verfahren oder, genauer, einen roten Faden darstellt." Vom musikalischen Standpunkt konzentriert sich der gesamte dramatische Konflikt in den drei Themen des Vorspiels: das Thema der Jokaste, das Thema des Vatermordes und die vier Noten, die den aufwühlenden Dialog zwischen Oedip und der Sphinx bezeichnen. Das pastorale Kolorit, die Milde der Gefühle trotz der Grausamkeit des Geschehens, das Licht in das alle Personen gehüllt sind, stellen die Mittel dar, in denen sich die „Botschaft" Oedips äußert; nach unserer Meinung der eloquente Ausdruck der Synthese, die um die Mitte des 20. Jahrhunderts zwischen den beiden musikalischen Welten unseres Kontinentes stattfand. Wir verdanken Arthur Honneger folgendes Urteil über die Oper „Oedip": „Wir befinden uns vor dem Hauptwerk eines der größten Meister; sie hält jeden Vergleich mit den Gipfeln der lyrischen Kunst aus. Diese Partitur ist von den Erfolgen der Werke Wagners ebenso weit entfernt wie von den Nachahmungen der Werke von Debussy und Puccini. Sie ist von absoluter Originalität und einer bestürzenden dramatischen Wucht" (Le Figaro litteraire, Paris, 19. März 1955).

„Wie weit mich auch meine Gedanken in die ferne Kindheit tragen mögen, stets stoßen sie auf die Musik. Denn niemals gab es für mich eine Grenze zwischen meinem Leben und meiner Kunst. Leben, Denken, Atmen, Träumen – immer tat ich dieses durch die Musik." Dieses Geständnis wird durch die Suite für Violine und Klavier „Eindrücke aus der Kindheit" bestätigt, die an Bedeutung der Sonate Nr. 3

für Violine und Klavier nicht nachsteht. In ihr finden wir nicht die Exuberanz und Varietät, die ihr Titel vielleicht verspricht. „Meine Kindheit war sehr ungewöhnlich! Es erscheint unvorstellbar, daß aus Angst vor einer körperlichen oder moralischen Gefährdung ich in meinen ersten Lebensjahren weder Spielgefährten noch Schulfreunde hatte. Da ich mich niemandem eröffnen konnte, bewahrte ich alle Gefühle in mir. Sie begannen, verborgen im Inneren meiner Empfindsamkeit, die schon früh sehr ausgeprägt war, zu gären, sich zu erfüllen." Dieses genannte Werk beweist durch seine rhythmisch, tänzerisch bestimmte Präsenz und seine freie, „offene" Entfaltung der Phrase nach dem Prinzip des langen, doinenartigen Gesanges, eine außergewöhnliche improvisatorische Technik.

Auf der gleichen Linie einer Beschwörung des Menschen und der Natur seiner Heimat, komponierte Enescu im Jahre 1938 im Gattungsbereich der sinfonischen Suite eine „Dörfliche Suite", die ihre Premiere in New York unter der Stabführung des Komponisten erfuhr. Die Orchesterbehandlung ist verschieden, entweder kompakt oder instrumental-solistisch mit pittoresken Timbres, die das alte Haus seiner Kindheit, Hirten, Zugvögel, Abendglocken, den Bach im Mondlicht und Bauerntänze heraufbeschwören. Der Rückblick Enescus auf die Spuren seiner eigenen Schritte, um seinen Weg zu den Gipfeln nachzuzeichnen, fand seine Verwirklichung im Poem „Vox Maris", für Tenor, Chor und Orchester. Die Melodik mit ihren uralten Anklängen deutet das Verhältnis zwischen Mensch und Natur, sowie den ewigen Widerspruch zwischen Reflexion und Tat an, die die Voraussetzungen für den Zusammenprall der Kräfte darstellen, der in diesem Poem stattfindet. „Ich sehe alles, was ich beschreibe vor mir. Stellen Sie sich ein stürmisches Meer vor. Ein Seemann sucht den Horizont ab. Eine Sirene klingt in der Ferne. Alarm! Schreie erklingen im Sturm. Die Rettungsboote werden ins Meer herabgelassen. Der Seemann ergreift das Ruder und kämpft sich in die Richtung vor, aus der der Schrei kam. Vom Lande verfolgen die Menschen das Boot, das für einen kurzen Augenblick auf den Wellenbergen sichtbar wird. Dann verschwindet es. Die Wellen stürzten auf das zerbrechliche Boot. Es versinkt. Der Wind heult über die vom Abendrot blutig scheinenden Wellen. Die Nacht bricht an. Nur noch das Plätschern der Wellen ist zu hören, und von weitem, aus unendlicher Ferne, ertönt der Gesang der Sirenen . . . Das Meer hat seine Beute verschlungen. Gesättigt, beruhigt es sich. Das Opfer beschwichtigte den Zorn der Götter. Das Licht des Mondes ergießt sich über das Meer." Polyphone Strukturen von höchster Komplexität, nuanciert bis zu heterophonen Abläufen, die einer Polymelodik gleichkommen, die der Polyrhythmik und einem weiten modalen Horizont entsprungen sind, deren Quell im rumänischen Melos zu suchen ist. Eine Architektur, die im wesentlichen dem Sonatenprinzip folgt (bithematische Exposition; der Augenblick des Konfliktes, der zum Kulminationspunkt, der Reprise und Conclusio führt), drückt das Werden des Dramas vom Gegensatz zwischen blinder, elementarer Kraft und der luziden, bewußten Auflehnung des Helden und seiner Gefährten aus. Die ständige dynamische Verteilung der harmonischen und timbralen Werte sowie die Variabilität der Dichte der Textur erwecken das Bild tönender Wellen. Die Einführung der Solostimme (Text von R. Willy) und des Chores, in dem wir Anklänge an Oedip und das Finale der 3. Sinfonie entdecken sowie die Verwendung spezifischer Instrumentationseffekte suggerieren eine gewisse Annäherung an die Musik von Debussy oder Strauss. Durch die Spannung des sinfonischen Ablaufes, durch die Charakteristiken des kompositorischen Denkens und durch die Gesamtheit seiner stilistischen Eigentümlichkeiten wurde „Vox Maris" zu einer der marksteinsetzenden Schöpfungen von George Enescu.

Der Entstehungsprozeß der Kammersinfonie fand unter dem Zeichen der übermenschlichen Anspannung des Komponisten statt, seine Krankheit zu besiegen. „Ich, der so empfindlich auf alles reagierte, was mir die Welt an farbigen, kraftvollen und unvorhergesehenen Dingen bot, habe nur noch den einzigen Wunsch: Bis zu meinem letzten Atemzug das auszusagen, was mich beschäftigt; bis zum letzten Tropfen will ich den Trank aus der wilden Frucht herauspressen, den die Jahre reiften. Solange ich noch bin, will ich singen." Dieser schwere Kampf bis in die letzten abschließenden Noten der Kammersinfonie wurden im Jahre 1954 niedergeschrieben, kurze Zeit vor seinem Tode. Im Großen gesehen ist das Werk eine Kantilene tiefschürfender Poesie, die stellenweise, wie etwa im Adagio des dritten Teils, sich tragisch verdunkelt. Diese Tragik wird jedoch nie zu Verfinsterung und Entsetzen, sondern findet ihre Lösung im aufhellenden Finale, das die Gewißheit einer Seelenruhe vermittelt, das Bewußtsein eines Musikers, seine Pflicht als Künstler seiner Heimat und der Menschheit gegenüber erfüllt zu haben. Sein Heimweh geht aus jenem Klang intimer Konfession, aus jener Mischung von Träumerei und beherrschter Melodie hervor, die das Werk kennzeichnen. Die Sinfonie besteht aus drei Sätzen, wobei das Finale zwei unterschiedliche Teile aufweist; doch werden alle ohne Unterbrechung als ein Ganzes gespielt. Hier wird jenes Prinzip der einheitlichen Sonate angewendet, das auch in den Quartetten herrscht. Der erste Satz weist Sonatenform auf und findet seine Durchführung erst im Finale. Der zweite Satz ist durch freie Form eines Themas mit Variationen gekennzeichnet, die sich auf Elemente der Sonatenexposition stützen. Von besonderer Prägnanz erscheinen die Themen des ersten Satzes; das erste ist von dem für Enescu typischen Lyrismus durchwoben, das zweite zart, fast tänzerisch. Hierzu gesellt sich die Melodie des zweiten Satzes der Sinfonie, die aus dem ersten Thema abgeleitet und von grosker Komik ist. Das dem Volkslied entnommene Rubatoprinzip äußert sich in der reichen Melismatik, durch Symmetrie und ständige rhythmische Variationen und führt zur Entstehung von verschiedenen Themen, die aus der gleichen tonalen Urzelle stammen. Hochinteressant erscheint auch das Verfahren, die Themen eines Satzes schon in der vorangehenden Sektion zu antizipieren: Dies geschieht durch Motive, die zyklisch wiederkehren. Der Kontrapunkt wird als eines der wichtigsten Verfahren unseres Jahrhunderts verwendet: er beleuchtet den Kontrast zwischen Augenblicken extremer polyphoner Verdichtung und rein monodischen Momenten. Die Harmonie stützt sich auf die Verwendung von modalen Quellen mit häufigen und unerwarteten Modulationen. Wir wollen uns hier nicht auf weitere bedeutende Werke beziehen, wie das Klavierquartett Nr. 2 d-Moll, das für den Spätstil von Enescu so eigentümlich ist, sondern erwähnen bloß noch die „Konzertouvertüre auf Motive im rumänischen Volkston", die in Washington vom National Symphony Orchestra unter der Leitung des Komponisten im Jahre 1949 ihre Uraufführung erlebte. Es sollte seine letzte Huldigung an sein Vaterland sein: die nationale Inspiration geht wie ein roter Faden durch das ganze Werk, obwohl die Substanz des Volksliedes hier ein Maximum an Sublimierung erreicht – ein wahres ästhetisches Testament und Modell für die heutige Komponistengeneration.

Enescu wirkte auch als Geigenvirtuose, Dirigent und Pianist. In allen diesen Bereichen beeindruckte er die Weltmeinung durch seine starke Persönlichkeit, seine überragende Musikalität, durch die Kraft mit der er den gefühlsmäßigen Inhalt der Musik wiedergab und die Werte der „beiden Welten" und, darüber hinaus, der gesamten musikalischen Welt, zusammenfaßte. Manchmal erreichte Enescu, was seine Arbeitskraft angeht, einmalige Leistungen in der Geschichte der Musik. Dies wären beispielsweise die historischen Konzerte der Geigenliteratur, die er im Wettlaufe von drei Monaten, zu Beginn des Jahres 1916 gab und die nicht weniger als 28 Instrumentalkonzerte, 17 Sonaten und Partiten und eine große Anzahl von kleineren Stücken des rumänischen und universalen Repertoires umfaßten. Seine Partner waren Musiker wie H. Casadesus, P. Casals, A. Casella, M. Ciampi, Ed. Colonne, P. Coppola, A. Cortot, C. Flesch, L. Fournier, Ph. Gaubert, E. Isaye, F. Kreisler, D. Lipatti, P. Monteux, L. Oborin, D. Oistrach, G. Pierné, C. Chailley-Richez, D. Schafran, Fr. Stock, R. Strauss (mit dem er dessen Werke interpretierte), J. Thibaud und F. Weingartner. Er konzertierte unter anderem mit den Berliner Sinfonikern und den Wiener Tonkünstlern und war in Deutschland Gast zahlreicher bedeutender Konzertsäle in Frankfurt, Berlin (1902, 1911, 1912) und in Dresden. Von den bedeutendsten Schülern des rumänischen Komponisten erinnern wir an Yehudi Menuhin, Arthur Grumiaux, Christian Ferras sowie eine Reihe von rumänischen Künstlern, die er in der Vervollkommnung ihrer Kunst anleitete. Um einen Blick auf die Prinzipien von Enescu bezüglich der Interpretation zu werfen, entnehmen wir folgende Zeilen aus einem an Yehudi Menuhin gerichteten Brief: „Bei jeder Komposition mußt du die Individualität und die Tendenzen des Autors im Auge behalten. Dringe tief in seine Ideen und Gefühle ein und versuche sie dem Hörer zu vermitteln, indem du all dein Talent und Wissen zu einem einzigen Zweck gebrauchen sollst: das Ideal des Autors richtig auszudrücken. Gib die Komposition so wieder, wie man ein Monument mit Fundament, Sockel und krönender Kuppel erbaut. Achte besonders darauf, der Komposition Vitalität, expressive Fülle und Überzeugungskraft zu verleihen. Sei beseelt und klarsichtig."

Das kompositorische und interpretatorische Werk von George Enescu erfährt in der Sozialistischen Republik Rumänien eine entsprechende Wertschätzung, die ihren Ausdruck in den zahlreichen Unternehmungen wie der Veranstaltung des Internationalen Festivals, das seinen Namen trägt, seinen Ausdruck findet sowie durch die Einbeziehung seiner Werke in das Musikleben, Drucklegungen, Schallplatteneinspielungen, Verbreitung durch Rundfunk- und Fernsehsendungen sowie durch die wissenschaftliche Exegese seiner Werke. Zu diesem grundlegenden Beitrag kommen die Huldigungen an den großen Komponisten durch Interpreten und Musikwissenschaftler vieler Länder der Erde hinzu, die aus dem Werk des rumänischen Musikers eine lebendige Präsenz im internationalen Musikleben unserer Tage machen.

Lászlo Vikár

Zoltán Kodály und die ungarische Volksmusik

Der 100. Geburtstag des vor anderthalb Jahrzehnten verstorbenen ungarischen Komponisten und Wissenschaftlers Zoltán Kodály gibt der Musikwelt Anlaß, seiner vielseitigen Tätigkeit besondere Aufmerksamkeit zu widmen. In seiner Heimat, in den Ländern Europas, aber auch auf fernliegenden Kontinenten stellen Hunderte von Konzerten, Konferenzen, Vorlesungen und Ausstellungen das reichhaltige Lebenswerk vor, das in sechs Jahrzehnten Komponieren, Musikwissenschaft und Musikerziehung zu einer untrennbaren Einheit verband. Die Musikgeschichte kennt kaum jemanden, der auf diesen drei Gebieten ähnliche hervorragende Erfolge erzielt hat. Das Hauptziel seiner Tätigkeit bestand darin, die in einer eigenartigen geographischen und historischen Lage entstandenen ungarischen geistigen Werte einem breiten Kreis zu erschließen und eine neue ungarische Kunstmusik sowie ein neues Musikleben zu schaffen. Sein ganzes Leben hindurch hat er sich darum bemüht, die östlichen und westlichen Elemente, die das Wesen des ungarischen Volkes geprägt haben, auch auf dem Gebiet der Musik festzustellen, und sie auf der höchsten Ebene zu einer Synthese zu vereinigen. „Wissenschaft und Kunst" – sagte er – „haben dieselbe Wurzel. Beide widerspiegeln die Welt auf ihre eigene Art. Sowohl für die wissenschaftliche als auch für die künstlerische Größe bildet der wahre Mensch, der „vir iustus", die Voraussetzung."
Seit seinem Tod erhöht sich ständig die Zahl der Menschen, die bereits erkannt haben, was zu Kodálys Lebzeiten nur wenige gewußt hatten, nämlich, daß Kodály nicht nur seinem Volk, sondern auch anderen Völkern einen großen Dienst erwiesen hat. Er bleibt das Vorbild all derer, die große Massen in das Reich der edlen, unser Leben verschönernden Musik einführen wollen. Kodály war ein Komponist, in dessen Lebenswerk die Volksmusik nicht bloß eine Farbe oder eine kurze Periode bedeutet hat. Die Pflege der Musiktraditionen erfüllte sein ganzes Leben: einerseits studierte er die Volkslieder, andererseits erhob er sie auf die höhere Stufe, der Kunstmusik. So erfüllte er in seinem Leben die Aufgabe mehrerer Generationen.

I. Bereits in den Jahren um die Jahrhundertwende, als er noch Student war, hat sich sein Interesse für die ungarischen Volkslieder gezeigt. Seine Doktorarbeit schrieb er über die Strophenstruktur des ungarischen Volksliedes, und obwohl er selbst damals mit der Forschungsarbeit auf dem Lande noch nicht begonnen hatte, konnte er tiefgreifende und neuartige Entdeckungen machen. Im Budapester Ethnographischen Museum lernte er die Möglichkeiten des Sammelns mit dem Edisonschen Phonograph kennen und ab 1905, beinahe zu gleicher Zeit wie Bartók, begann er die vielfältigen Traditionen der Volksmusik zu studieren, die im damaligen Musikleben der Städte nicht existierten, aber in den Dörfern noch lebendig waren. Nach einigen Jahren, im Besitz von Tausenden von Melodievarianten, konnte er bereits mit Sicherheit feststellen: die wirkliche Musikvergangenheit des Ungarntums ist nicht in der Musik der Städte, sondern in der im Grunde genommen pentatonischen Melodienwelt der Dörfer zu finden. Sie sei ein Schatz der ganzen Nation, dessen Sammeln und Weitergabe eine patriotische Pflicht darstelle; sie sei eine reichliche und reine Quelle, die es ermögliche, eine neue ungarische Kunstmusik zu schaffen.

Die Tausende von Melodien, die gesammelt worden waren, mußten früher oder später systematisiert werden, und dazu leistete anfangs das Beispiel der Finnen Ilmari Krohn und Armas Launis große Hilfe. Um bessere Ergebnisse erzielen zu können, wurden zwei unterschiedliche Wege der Gruppierung der Melodien gewählt. Bartók hatte bis 1940 – als er in die Vereinigten Staaten emigrierte – etwa 12 000 Melodien in erster Linie aufgrund ihrer Rhythmen, Kodály bis in die Mitte der 50er Jahre insgesamt 28 000 Melodievarianten aufgrund der Kadenznoten in ein System gebracht. Seitdem, d. h. im letzten Vierteljahrhundert, sind immer wieder neue Systematisierungsversuche gemacht worden, um die nach der Melodieführung zusammengehörenden Typen bzw. die historischen Schichten aufzudecken. Vor einigen Jahren haben wir Computer in Anspruch genommen, um das bereits 150 000 Melodievarianten enthaltende Material in ein Register eintragen zu können. Der Endzweck der von Kodály und Bartók veranlaßten Volksmusikforschung bestand natürlich darin, eine vom Gesichtspunkt der Musik aus aufgebaute Buchreihe herauszugeben, deren erste Folge dann nach mehrere Jahrzehnte lang dauernden Vorbereitungen 1951 unter dem Titel „Corpus Musicae Popularis Hungaricae" veröffentlicht wurde. Bisher sind sieben umfangreiche Bände erschienen. Die Herausgabe zweier weiterer Bände wird gegenwärtig vorbereitet. Unseres Wissens ist diese Unternehmung in der ganzen Welt einzig in ihrer Art.

Die von Zoltán Kodály geleitete professionelle Volksmusikforschung erfolgt seit 1953 in der Ungarischen Akademie der Wissenschaften, zur Zeit im Institut für Musikwissenschaften. Sie umfaßt über das Studium des ungarischen Vokalmaterials hinaus auch die Untersuchung von Instrumentalmelodien und Volksinstrumenten, der Volkstänze, der Wechselwirkungen in der Volksmusik und das Studium der Musik der uns verwandten finno-ugrischen Völker. Die Hauptabteilung für Volksmusik hat derzeit etwa 30 interne Mitarbeiter und zahlreiche weitere im Lande.

II. Kodály hat – wie er sich später erinnerte – bis zu seinem vierzigsten Lebensjahr nie daran gedacht, für Kinder zu komponieren oder gar sich mit Fragen der Musikerziehung zu befassen. Der frische, klare Klang der beiden Kinderstimmen, die er bei der Instrumentation des „Psalmus Hungaricus" versuchsweise ins Werk einfügte, hat jedoch seine Aufmerksamkeit geweckt und danach schrieb er mit zunehmender Begeisterung auf Volksliedthemen beruhende Kinder- und Frauenchöre. Der unerwartete Erfolg der Erstaufführungen gab ihm weitere Anregungen und Anfang der 30er Jahre ist er bereits auf die Idee gekommen, den Musikunterricht in den Schulen grundlegend zu reformieren. Mündlich und schriftlich sowie mit der Komposition pädagogischer Werke setzte er sich bewußt für die Musik in der Schule ein, mit dem Ziel der Beseitigung des musikalischen Analphabetentums. Am Anfang folgten ihm nur seine Schüler, später schlossen sich immer mehr Menschen an, die sich den konservativen Ansichten der Behörden und Institutionen widersetzten und offen betonten, daß der Musikerziehung der ungarischen Kinder nur die in der Bauernmusik aufbewahrten nationalen Traditionen als Grundlage dienen können. Wie im Sprechen die Muttersprache, so bietet im Gesang die musikalische Muttersprache das natürlichste Material. Die Zusammenstellung der musikalischen Muttersprache für die Kinder war jedoch eine äußerst verantwortungsvolle Aufgabe, die man nicht dem Zufall überlassen konnte. Die typischsten und zugleich schönsten Melodievarianten waren notwendig; gleichzeitig mußten auch die pädagogischen Gesichtspunkte beachtet werden. Die heimische Volksmusikforschung konnte dazu nützliche Hilfe leisten. Aus dem damals bereits seit 30 Jahren gesammelten und systematisch bearbeiteten Material konnten die für den Unterricht geeigneten Melodien ohne Schwierigkeiten ausgewählt werden. In dieser Kodályschen Konzeption war es möglich, die künstlerischen, wissenschaftlichen und pädagogischen Aspekte zu vereinigen und abzustimmen.

Während der vergangenen 50 Jahre sind zahlreiche verschiedene Musiklehrbücher erschienen, in denen die für den Unterricht vorgesehenen Melodien oft ausgetauscht wurden. Das Prinzip blieb jedoch unverändert: nach den eigenen Melodien sollen zuerst die der Nachbarländer unterrichtet werden; dann sollen die Kinder die Volksmusik ferner liegender Länder kennenlernen, um sie dann schrittweise mit den Klassikern vertraut zu machen. All das ist auch als ein Beweis dafür gedacht, daß es in der tausendjährigen Geschichte der europäischen Musik fortwährend notwendige Wechselwirkungen zwischen den Leistungen des Volkes und der Komponisten, bzw. der Volks- und der Kunstmusik gab und dieses Verhältnis immer fruchtbringend war.

Wir müssen also nicht auf nach pädagogischen Gesichtspunkten erfundenen „Lehrliedern", sondern auf die wirklichen Traditionen bauen, denn diese stellen den Stützpunkt dar, der uns zur besseren Erkenntnis unseres nationalen Charakters und unserer Vergangenheit verhelfen kann. „Es gibt zwei Foren, wo man Einspruch erheben kann": – schrieb Kodály, „das eine ist das Volk, das andere ist die Zeit. Das Volk, das souverän entscheidet, was ihm gefällt, was es braucht, und die Zeit, die unerbittlich aussieht, was leblos oder verderblich ist."

So ist die ungarische Volksmusik zur Grundlage der von Kodály geschaffenen, gesangsorientierten Musikerziehung geworden; dies garantiert, selbst unter veränderten Umständen, auch den kommenden Generationen, mit den unschätzbaren Werten der Vergangenheit vertraut zu werden. Kodálys Bemühungen standen unter der Prämisse, daß die Musik den ihr gebührenden Platz in den entscheidenden Phasen der menschlichen Entwicklung einnehmen muß, denn ohne Musik ist menschliche Existenz nicht denkbar.

III. Volkslieder können natürlich auf vielfache Weise verwendet werden. Gehen wir von den drei Stufen der Studie von Béla Bartók aus dem Jahr 1931 aus, die den Titel „Die Auswirkungen der Bauernmusik auf die neurere Kunstmusik" trägt.

1. Die erste Gruppe der Bearbeitungen enthält die Werke, in denen der Komponist eine Volksmelodie übernimmt, ohne daran etwas zu verändern, er komponiert höchstens ein Vor- oder Nachspiel dazu und eine Begleitung. Die Melodie kann in einer Gesangspartie oder auf einem Instrument auftauchen, allein, oder als Zitat in ein größeres Werk eingebettet sein.

2. Zur zweiten Gruppe gehören die Werke, in denen der Komponist zwar kein echtes Volkslied, aber eine dem Volkslied ähnliche Melodie verwendet. Dazu ist es erforderlich, den gegebenen Stil sowohl aus melodischem, rhythmischem und strukturellem Aspekt heraus als auch vom Gesichtspunkt der Vorstellung aus gut zu kennen. Nur solche Komponisten wagen das zu tun, welche die musikalischen Traditionen einer Gemeinschaft selbst eingehend untersucht haben. Ein allgemein bekanntes Beispiel ist Bartóks „Ein Abend am Lande", das ursprünglich für das Klavier komponiert, dann für Orchester umgearbeitet wurde, und dessen rondoartig wiederkehrendes Hauptthema eine Volkslied-Nachahmung ist.

3. Die größte Zahl von Möglichkeiten bietet die dritte Kategorie der Verwendungs-

formen von Volksliedern. In dieser Kategorie erscheinen nur gewisse Elemente aus ihnen; es sind ähnliche Melodiewendungen, Rhythmusformeln, gegebenenfalls charakteristische Tonleitern und Besonderheiten der Interpretation, die auf den Ursprung im Volkslied hinweisen. Darum ist die Sammlung an Ort und Stelle so wichtig. Die Notierungen in Büchern sind in den meisten Fällen nur blasse Schattenbilder der musikalischen Wirklichkeit.

Der indirekte oder direkte Einfluß der Volksmusik ist in beinahe allen Werken Kodálys und Bartóks aufzufinden. Dies ist ganz natürlich, denn der Forscher der Volksmusik und der Komponist waren in ihren Werken nie voneinander zu trennen, sie haben einander sogar bewußt unterstützt.

Swetlana Zahariewa

Bulgarische Volksmehrstimmigkeit, semantische und funktionelle Aspekte

Ein bekannter Aphorismus sagt, daß „die Natur nicht in Universitäten geteilt ist". Das Gleiche läßt sich auch für die folkloristische Kultur sagen – in ihren Werken sind kulturelle Positionen auskristallisiert, soziale Werte und emotionell-psychologische Impulse, die mit den Mitteln einer einzigen Wissenschaft nicht erfaßt und erforscht werden können. Die Volkskultur hat ihre mythische Bindung an die Erde als Ursprungsquelle für den einzelnen Menschen und die Gemeinschaft als ein Ganzes nicht verloren. Die Agrarideologie des Bauern, treu den alten Traditionen, bestimmt die Dominante seines Arbeits-, Gesellschafts- und Kunstschaffens – das Bestreben nach Fruchtbarkeit „bei Mensch, Vieh und Feld". Eine jede Tätigkeit ist von dieser produzierenden Idee durchdrungen und drückt sie auf eine eigene Art aus. In dieser Hinsicht macht die Musik keine Ausnahme. Die Musik ist vor allem ein aktives Mittel zum Anschluß an das gemeinsame Ideal, eine Art des Ausdrucks einer historisch bestimmten Kulturposition.

Das Grundkriterium für die Klassifikation in den Bauerngemeinschaften – das Geschlecht – und Alterskriterium gilt auch für die Musik. Bevor die Musik einstimmig oder mehrstimmig, Gesang oder Instrumentenspiel wird, ist sie männlich und weiblich. Das Instrumentenspiel ist ausschließlich Männerprivileg und das Singen vor allem Frauensache, oder, genauer gesagt, eine Tätigkeit der jungen, nicht verheirateten Frauen. „Der wichtigste Träger der Volksgesangskultur ist das junge Mädchen", sagt Todor Živkov in seinem soziologisch-ästhetischen Forschungswerk „Volk und Lied".[1] Das Singen ist ein sehr wichtiges Mittel zur Sozialisierung der jungen unverheirateten Frau, zu ihrem Anschluß an das Kollektiv, zur Vorführung ihrer Arbeitsgeschicklichkeit und ihres schöpferischen Könnens, zur öffentlichen Anerkennung ihrer Ehefähigkeit. Die wichtigsten Volksbräuche, und zwar die magischen und die prophezeienden (Laduvane), die sozialisierenden (asaruvane und Hochzeit) und die mit verschiedenen Bauerntätigkeiten verbundenen (Erntezeit und Spinnstubenabende usw.) „werden von der Jungfer, die vor der Hochzeit steht"[2], getragen und der Sinn des Rituals kommt eben im Singen zur Geltung – das Singen ist gleichzeitig Magie, Suggestion, Sozialisierung und künstlerische Sublimierung.

Diese Fragen haben eine engere Bindung an die Mehrstimmigkeit, als das auf den ersten Blick zu erkennen ist. Wir sehen vor allem, wie der Grundträger der mehrstimmigen Gesangstradition, die Mädchenvokalgruppe, formiert wird. Die funktionell bedingte Gruppe (Lazarki, Schnitterinnen usw.) hat eine Reihe rein künstlerischer Vorteile im Vergleich zum Kollektiv als Ganzem. Die begrenzte Teilnehmerzahl begünstigt den Intonationsausgleich unabhängig davon, ob das Singen der Gruppe ein- oder mehrstimmig ist. Die Vereinheitlichung der „Stimme", d. h. der Melodie, ist ein äußerer Ausdruck der inneren Übereinstimmung; das ist eine Einheit, eine Harmonie, die sich aus dem gemeinsamen magisch-sozialisierenden Ziel und der Arbeit der Gruppe ergibt. Die Gruppen sind klein; jede Gruppe besteht aus Mädchen, die gerade ihre Pubertät hinter sich haben, mit frischen, kraftvollen Stimmen, was eine besondere Bedeutung für die Qualität des Tons und die Reinheit der Intonation hat. Drittens, das Prestige des Ritualsingens wird auch durch das Bestreben nach Gefallen bedingt, was sich auch in der Kleidung, dem Schmuck und den Tänzen zeigt. Dieses künstlerische Moment des Prestiges findet oft Ausdruck im lauten Singen, im Singen „das weit zu hören ist" und das besonders charakteristisch ist für die Lieder der Schnitterinnen, die auf dem Felde gesungen werden. Schließlich kommt die Mädchenvokalgruppe durch ihre mythische Bindung an die Erde und die aufblühende Natur zu einer fast mystischen Einheit mit den Naturerscheinungen und kosmischen Kräften und gewinnt die besondere magische Macht, allen Gesundheit, Fruchtbarkeit und Wohlstand zu bringen.

Der mehrstimmige Stil als Ganzes ist in den archaischen Schichten des Ritualsystems besser verankert, und das mehrstimmige Lied selbst hat in der Regel eine enge Verbindung mit den magischen Volksbräuchen behalten – so z. B. ziehen die Mädchen mit Liedern und Ritualspiel einen symbolischen Kreis rings um die Bienenkörbe, „damit die Bienen nicht davonfliegen", die Schnitterinnen heben den Tonklang ihrer Stimme, „damit der Weizen Ähren ansetzt" usw. Das Lied hat die Funktion eines kollektiven magischen Aktes, einer besonderen, sakralen Handlung, die in Wort und Klang den Willen des Kollektivs zum Ausdruck bringt. Dieser gemeinsame magische Wille wird im Wortlaut des Gesangs auf zwei verschiedene Weisen materialisiert, erstens durch das einzelne Wort, durch die Poesie und Metaphorik des sakralen Textes, ausgesprochen auf eine besondere Weise (das ist Verbalmagie) und zweitens durch den Laut – durch die Manier, die Art und Weise, den Klang und die Stärke der Vertonung (nicht-verbale Magie). So spaltet sich der Rituallaut funktionell und wird auf zwei verschiedene Weisen behandelt, die unabhängig voneinander sind. Der Ritualtext kann gesungen, skandiert (Segens-Spruch), laut gesprochen (Fluch), geflüstert (Zauberspruch) werden – das wichtigste dabei ist, daß er auf eine besondere Art und Weise ausgesprochen wird. Dasselbe bezieht sich auch auf den Ritualklang – er kann verbal sein (Singen, Sprechen, Geflüster), er kann auch Schrei, Weinen, Lachen, Instrumentenspiel oder Geklapper, Geklimper, Klopfen, Klirren usw. sein. Die synkretistische, aber autonome Bedeutung dieser zwei Arten von Klangmagie, d. h. die verbale und die nicht-verbale Magie, verstärkt die magische Kraft des Ritualgesanges und trägt gleichzeitig zur Entwicklung von zwei verschiedenen Kunstarten bei – der Poesie und der Musik. Die Bifunktionalität des Ritualklanges wird auch als eine Möglichkeit für verschiedenartige Gestaltung der Klangmaterie begriffen und selbst bei Gesang benutzt, als eine Möglichkeit, den Akzent sowohl auf die verbale als auch auf die nicht-verbale, rein lautliche Expression zu legen. Dies wird in der Gesangspraxis nicht nur im zweistimmigen Lied realisiert; sie ist vor allem in der Manier des Singens selbst verkörpert – lautes, schrilles Singen, Unterbrechungen des Gesangstextes durch freie vokale Improvisationen (Ornamente, lautes Rufen) und zuletzt in der Hinzufügung einer einzelnen selbständigen Partie mit besonderer Charakteristik des Klanges (eine Partie, die „braust", „hallt", „donnert"). In allen drei Fällen (in der Manier, in der vokalen Improvisation und in der Hinzufügung einer zweiten Stimme) wird eine bewußte Teilung, Gegenüberstellung und Verknüpfung dieser zwei Ausdrucksebenen, dieser zwei Aspekte der Klangmagie – die verbale und die nicht-verbale –, verwirklicht.

Freilich wollen wir nicht behaupten, daß dieses der einzige Faktor ist, der das Durchsetzen der Mehrstimmigkeit bedingt. Dieser Faktor aber ist sehr wichtig und spielt eine aktive Rolle bei der Gestaltung der Besonderheiten des mehrstimmigen Stils. Die Volkssänger selbst bestätigen auf eine ausdrucksvolle, bildhafte Weise diese bewußte Teilung der Klangfunktionen in eine verbale und eine nicht-verbale Ebene.

Bäuerinnen aus dem Bezirk Sofia erklären, daß die erste Stimme die Worte ausspricht, d. h. die wichtigste Arbeit leistet, während die zweite viel weniger Worte hat, sie „hilft nur mit" (die Frauen, welche die zweite Stimme singen, sind nur „Helferinnen"). Ein anderes wesentliches Merkmal bringt uns auf den Gedanken, daß eine komplizierte innere Hierarchie vorhanden ist: Oft wird die Melodie nur von einer Frau gesungen, sie ist „Vodačka", „Führerin". Ein drittes Merkmal mehrstimmigen Musizierens ergibt sich aus den verschiedenen, den Stimmen zufallenden Funktionen – das ist z. B. die größere Anzahl von Sängerinnen, die die zweite Stimme vortragen (oft im Verhältnis drei zu eins) und ihr Bestreben, rein quantitativ, mit Kraft und Intensität zu singen. „Je lauter wir singen, desto besser." Und zuletzt vom rein musikalischen Gesichtspunkt aus – das ist die vorwiegende Unbeweglichkeit, Statik der zweiten Stimme gegenüber der ersten, wodurch sich die Konturen des Borduns auf die Haupttonalität abzeichnen. Das erste Beispiel ist eine typische magische Formel, von einer Lazarki-Gruppe am Anfang des Rituals gesungen.[3]

Beispiel 1

Die zweite Stimme übernimmt allmählich verschiedene Bewegungsformen. Der monodisch-linearen Natur treu, reagiert sie geschmeidig auf die sich lokal ändernde Tonalität der Melodie und fängt auf diese Weise an, als ihre stilisierte Variante zu ertönen. In diesem Fall nimmt die Bordunmehrstimmigkeit Züge einer Heterophonie an. Die Sängerinnen sagen über eine solche Stimme, daß sie „folgt".
Eine sehr interessante und originelle Form der Heterophonie stellen die Lieder aus dem Dorf Breznica dar. Hier haben sich die zwei Stimmen melodisch angeglichen, und die Mehrstimmigkeit entsteht infolge der ganz kleinen Verspätung der zweiten Stimme und derer Überlagerung der ersten für Sekunden. Eine Sängerin namens Kadifeika, die immer mit ihrer Schwester Fanka singt, beschreibt lakonisch die Mehrstimmigkeit folgenderweise: „Fanka geht, und ich gehe hinter ihr her." Beispiel 2 ist ein Lied der Abendernte mit einem mythischen Liebessujet.[4]

Beispiel 2

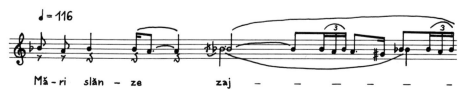

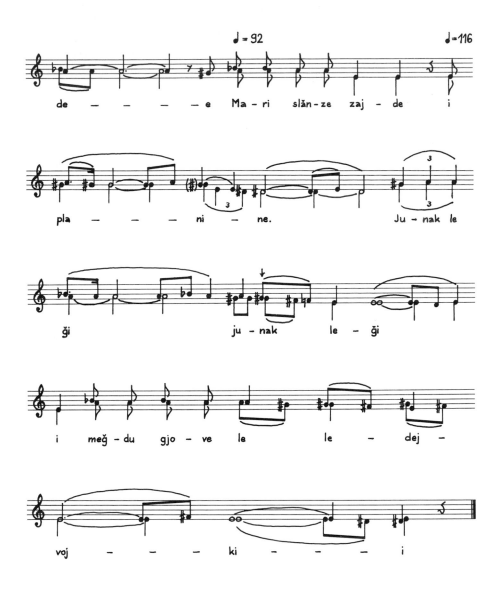

In demselben Bezirk beobachten wir den außergewöhnlichen Gesang „na visoko",
d. h. „hoch singend". Das sind Lieder der Schnitterinnen; in ihrer Melodie sind
Rufoktaven, von zwei Stimmen vorgetragen (sie spalten sich zweistimmig im niedri-
gen Register bei der schnellen Aussprache des Textes). Zum Unterschied von anderen Gegenden werden diese Rufoktaven nicht außerhalb des Textes vorgetragen,
sondern setzen sich als Klangmasse durch und stellen das Wort zurück. Im Prinzip,
mit oder ohne Text, unterstreichen die Rufoktaven die nicht verbale, magische
Funktion des Ritualklanges (man glaubt daran, daß so weit der Ton klingt, es nicht
hageln wird oder sich der Wald belauben, oder der Weizen reifen wird usw.)[5]. Es ist
gar nicht zufällig, daß im ganzen Land die Erntelieder in Hülle und Fülle solche
Rufe enthalten.

Beispiel 3

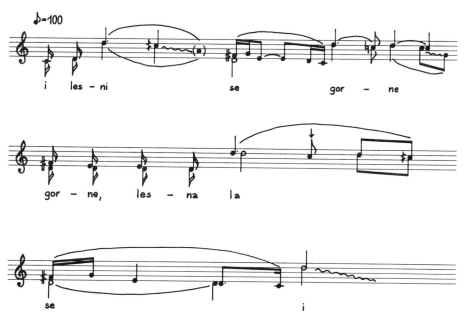

Für den Gesangsstil in den Dörfern Dolen und Satovča sind auch die kombinierten vierstimmigen Lieder charakteristisch, Lieder, die aus einem einfachen zweistimmigen Lied und einem „hochgesungenen" zusammengesetzt sind.

Beispiel 4

In der harmonischen Struktur des zweistimmigen Gesanges nimmt das Sekundintervall einen besonderen Platz ein, als ein oft verwendeter und offensichtlich bevorzugter Klang. Das ist nicht unerklärlich, wenn man das Bedürfnis nach Fülle und Intensität der Tongebung berücksichtigt. Das Sekundintervall ist ein sehr sparsames und effektives Mittel zum Aufbau eines massiven, eindrucksvollen und fast physisch wirkenden Klanges. Gleichzeitig ist es das erste und einzige Intervall, das im Minimaltonumfang auf zwei Stufen erscheint (als Kombination der Tonika mit dem unteren und dem oberen benachbarten Ton, siehe Beispiel 4). Auf Grund des ständigen Sekundklanges baut der Volksmusiker seine festen harmonischen Eindrücke, seine ersten vertikalen Hörgewohnheiten.[6] Man sucht die Sekunde nicht als genau festgelegtes Intervall (seine Größe variiert), sondern als klangfarbliche und akustische Schwebung vor allem, als eine besondere Art von Konkordanz, die gleichzeitig akustisch und semantisch ist. (Der Volksterminus „sglašane" – Einstimmigkeit – ist mit „săglasie" verwandt und das ist Übereinstimmung, Verständnis). Dieses eigenartige Singen vergleichen die Sängerinnen mit Glockengeläute („ga če dzwonzi dzwonjat").[7] Im Ergebnis kommt manchmal auch Sekundparallelität vor, die aber das Bordunprinzip nicht zurückdrängen kann.

Beispiel 5 („Geben sie mir Sieb und dünne Seide") ist ein Hochzeitslied, das beim rituellen Sieben des Mehls gesungen wird.

Beispiel 5

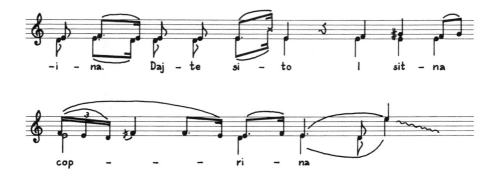

Aus Zeitmangel bin ich nicht in der Lage, der instrumentalen Mehrstimmigkeit besondere Aufmerksamkeit zu schenken, aber meiner Auffassung nach ist ihre Abhängigkeit von der vokalen Diaphonie nicht zu bezweifeln.

Intonationsfragen sind ihr genetisch nicht eigen, da sich das Instrument, historisch gesehen, vor allem mit seiner gegenständlichen, bildlichen, in den Bauernkulturen betont männlichen Symbolik durchgesetzt hat. Was den Klang anbelangt, bestimmt ihn Curt Sachs als „Extension des menschlichen Körpers". Schaeffner nennt die Instrumentalmusik „Körpermusik". Das ist Musik, die vor allem rhythmische, geräuschvolle und tänzerische Bewegungseigenschaften entwickelt. Das Instrument entlehnt von der Vokaldiaphonie die Art und Weise des Intonationshörens und die vertikale Unterscheidung der Instrumentalpartien. Gar nicht zufällig wird die Bordunpfeife „bučilo", „ručilo" (d. h. „Geklingel", „Gebrüll") genannt – entsprechend der Benennung der zweiten Stimme im Gesang. Für das Instrument wird die zweite Stimme speziell durch ein Sonderrohr bei den Blasinstrumenten und eine Sondersaite bei der Gadulka und Tambura fixiert. Sie erstarrt auf diese Weise in ihrer Klangbeweglichkeit und verwandelt sich in einen tonalitätsindifferenten, klangfarblichen Hintergrund des Liedes. Darin besteht der Unterschied zum Lied, wo die zweite Stimme aktiv ist – sie singt die Tonika mit Unterbrechungen oder folgt der Entwicklung der Melodie. In Beispiel 6 ist der Instrumentalbordun des Dudelsacks und der Doppelblockflöte unbeweglich und reagiert auf die verschiedenen Tonalitätsstützen in der Melodie nicht. Zum Vergleich ist auch die Vokalversion der zweiten Melodie zitiert.

Beispiel 6

a) Dudelsack

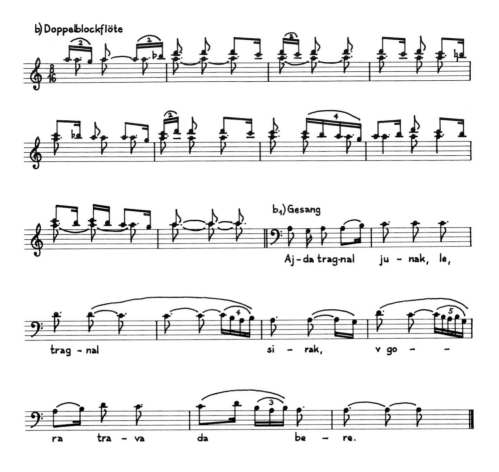

b) Doppelblockflöte

b₁) Gesang

Aj - da trag - nal   ju - nak, le,

trag - nal   si - rak,   v go - -

ra   tra - va   da   be - re.

Nun möchte ich zuletzt etwas über einen besonderen Fall der Mehrstimmigkeit sagen, der aus dem gleichzeitigen Instrumentalspiel mit Gesang entstanden ist. Charakteristisch dafür ist, daß Gesang und Instrument in der gleichzeitigen Tongebung nichts miteinander zu tun haben, keine Koordination suchen. Das nächste Beispiel ist Musik des Brautzuges aus dem Gebirgsdorf Pirin, wo erstaunlich urwüchsige und eigenartige Volkskunst lebendig geblieben ist.

Beispiel 7

♩ = 152

Dudelsack

Tăpan (grosse Trommel)

Frauengesang

Trop - ni mi,

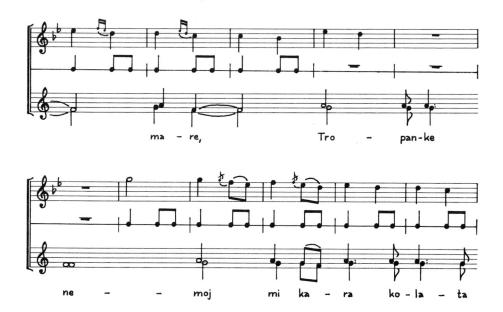

Wir können den Sinn dieser Mehrstimmigkeit begreifen, wenn wir nicht vom rein musikalischen Standpunkt ausgehen, sondern von dem dem Lied und dem Instrument im Hochzeitsritual zugewiesenen Platz. Die Hochzeit ist keine intime Sache in der patriarchalischen Volkskultur, sondern Sorge des ganzen Kollektivs. Sie wird als Kampf zwischen dem männlichen und dem weiblichen Wesen erfaßt. Die zwei musikalischen Partien – der Frauengesang und das Männerinstrumentalspiel – suchen keine Übereinstimmung in Klang und Harmonie. Im Gegenteil, als symbolische Vertreter von zwei entgegengesetzten rituellen Rollen müssen sie verschieden sein. Der Dudelsackpfeifer spielt seine Musik (am häufigsten Tanzmelodien) und vom Frauengesang, der ihm während des Zuges folgt, sagt er nachlässig: „Frauensachen – die Frauen singen sie.[8] Sie singen ihre gedehnten Lieder, ohne sich von dem Instrument gestört zu fühlen. (Denn Hochzeit heißt, er wird seine Sache spielen, und wir werden unsere Lieder singen, und da wird niemand laut „E-he-he-e!" ausrufen, ein Kind aufschreien, ein Gewehr knallen...)".

Tatsächlich entsteht diese Form unbewußt, unbeabsichtigt; sie läßt sich aber keinesfalls als zufälliges Phänomen betrachten – es ist ja bekannt, daß die Hörerfahrung noch auf einem unbewußten Niveau gebildet wird, und das Bewußtsein wählt und aktualisiert nur einen Teil dieser Erfahrung. In diesem Falle (und überhaupt) sind das Unbewußte und das Zufällige keine Synonyme. In ihrer besonderen dialogischen Klangform ist die Hochzeitsmehrstimmigkeit eine klare bildhafte Verkörperung einer ausschließlich tiefen semantischen Idee, die den Wert eines Archetypus hat. Als ästhetische Tatsache, als selbständige musikalische Erscheinung, kommt sie ursprünglich auf unbewußtem Niveau vor. Aber als kulturelles Bedürfnis, als Klanggebilde der rituellen Ehesemantik, ist sie für die Hochzeit charakteristisch und notwendig.

Das letzte Beispiel können wir als eine kleine „Enzyklopädie" der mehrstimmigen Formen bezeichnen. Das Frauenlied hat einen in Heterophonie übergehenden Bordun; die Instrumentalmelodie dagegen hat als zweite Stimme einen unbeweglichen, auf einer besonderen Saite gespielten Ton; zwischen der Melodie des Männergesanges und dessen Verdoppelung von der Melodiesaite der Tambura sind heterophonische Abweichungen vom Einklang hörbar. Es ergibt sich unsere wohlbekannte „Hochzeitsmehrstimmigkeit", bei der die gleichzeitig klingenden verschiedenen Texte und Melodien eine interessante Analogie zur mittelalterlichen Motettenkunst bieten.

Beispiel 8

Hier kann man nicht von musikalischer Indifferenz sprechen – im Gegenteil, hier ist eine außerordentliche und eigenartige Musikalität vorhanden. Die Bedeutung, die diese Leute ihrer Kunst geben, ist aber viel reicher als der bloße Klangeindruck auf den Zuhörer, der die Kultur und den tieferen Sinn dieser Tradition nicht kennt. Das alles verpflichtet uns, unsere Vorstellungen sowohl von der Volkskunst als auch von der Musik in ihren tiefsten archetypischen Dimensionen zu erweitern und zu korrigieren.

Anmerkungen

1 Živkov Todor Iv. Narod i pesen. Sofia 1977, S. 59.
2 Živkov Todor Iv. S. 60.
3 Sammlung „Narodni pesni ot Zapadnite pokrainini. Sofia 1957, S. 200.

4 Beispiele 2, 3, 4, 6, 7, 8 sind vom Verfasser aufgenommen und notiert. Für Beispiel 5 siehe Schallplatte Balkanton BHA 10218–I, 2.

5 W. Wiora zitiert ein ähnliches Beispiel von E. v. Hornbostel, wo es sich um „Wasserwirbelmusik" handelt: diese Musik muß „das Wasser (im Bach oder Fluß) so aufhalten, daß es in einem Wirbel herumläuft". „Das Wichtigste ist, daß es sich um diese Gesangteile handelt, die ohne eigentlichen Text auf die Vokale a–e gesungen werden und den Ablauf des sinnvollen Textes unterbrechen." (Wiora, W., Zwischen Einstimmigkeit und Mehrstimmigkeit. In: Festschrift Max Schneider, S. 326.)

6 Das bestätigt Rudolf v. Fickers Theorie vom Vorhandensein der „Primären Klangformen" in der mündlichen früheuropäischen und außereuropäischen Tradition. (Nach Kühn, H., Die Harmonik der Ars Nova. München 1973, S. 221).

7 „. . . oft lauscht und saugt man sich gleichsam in den Klang", sagt W. Wiora und betont: „Solche Musik scheint am meisten fraulichem und pflanzerischem Stil zu entsprechen" (S. 326). (Siehe Anmerkung 5).

8 Todorov, T., Săvremennost i narodna pesen. Sofia 1978, S. 49.

Personen- und Sachregister